ABITZ

RAMSES III. IN DEN GRÄBERN SEINER SÖHNE

ORBIS BIBLICUS ET ORIENTALIS

Im Auftrag des Biblischen Instituts der Universität
Freiburg Schweiz
des Seminars für biblische Zeitgeschichte
der Universität Münster i. W.
und der Schweizerischen Gesellschaft
für orientalische Altertumswissenschaft
herausgegeben von
Othmar Keel
unter Mitarbeit von Erich Zenger und Albert de Pury

Zum Autor:

Friedrich Abitz, geb. 1924 in Hamburg, untersucht seit 1970 die Bauformen und
Strukturen des Bildprogramms der königlichen Grabanlagen im Tal der Könige.
Seine Arbeiten wurden vom Archäologischen Institut der Universität Hamburg
und teilweise von der Deutschen Forschungsgemeinschaft unterstützt. Über die
Forschungsergebnisse legte er folgende Publikationen vor: 1974: Die religiöse
Bedeutung der sogenannten Grabräuberschächte in den ägyptischen Königsgrä-
bern der 18.–20. Dynastie; 1979: Statuetten in Schreinen als Grabbeigaben in den
ägyptischen Königsgräbern der 18. und 19. Dynastie; 1984: König und Gott. Die
Götterszenen in den ägyptischen Königsgräbern von Thutmosis IV. bis Ramses III.

ORBIS BIBLICUS ET ORIENTALIS 72

FRIEDRICH ABITZ

RAMSES III.
IN DEN GRÄBERN SEINER SÖHNE

UNIVERSITÄTSVERLAG FREIBURG SCHWEIZ
VANDENHOECK & RUPRECHT GÖTTINGEN
1986

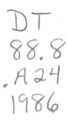
CIP-Kurztitelaufnahme der Deutschen Bibliothek

Abitz, Friedrich:

Ramses III. in den Gräbern seiner Söhne
Friedrich Abitz

Freiburg, Schweiz: Universitätsverlag;
Göttingen: Vandenhoeck und Ruprecht, 1986.

(Orbis biblicus et orientalis; 72)
ISBN 3-7278-0369-X (Universitätsverlag)
ISBN 3-525-53701-8 (Vandenhoeck und Ruprecht)
NE: GT

Veröffentlicht mit Unterstützung
der Schweizerischen Akademie der Geisteswissenschaften

ISBN 3-7278-0369-X (Universitätsverlag)
ISBN 3-525-53701-8 (Vandenhoeck und Ruprecht)

INHALTSVERZEICHNIS

V O R W O R T

Die Prinzengräber im Tal der Königinnen haben seit ihrer Entdeckung kurz
nach der Jahrhundertwende durch ihr ungewöhnliches Bildprogramm Aufmerksam-
keit gefunden, ohne daß bisher eine Bearbeitung aller Gräber erfolgte. In
fast allen Szenen der Prinzengräber ist es Ramses III., der die Götter an-
betet, ihnen opfert, sie anspricht oder von ihnen mit Segenswünschen ausgestattet wird, während der Grabinhaber, der mit der Jugendlocke und kleiner
als der König dargestellte Prinz, hinter ihm mit einem Wedel steht.

Die vorgelegte Arbeit beschäftigt sich im Wesentlichen mit der Stellung des
Königs und der Prinzen innerhalb der prinzlichen Grabanlagen und ist eine
Ergänzung meiner bisher durchgeführten Untersuchungen der ägyptischen Kö-
nigsgräber im Biban-el-Moluk. Im Grab von Ramses III. ist letztmalig die
Einheit von Raum und Bild in der seit Sethos I. vorgegebenen Form, deren
Anfänge bis zu Thutmosis IV. zurückreichen, verwirklicht worden. Vor einer
Bearbeitung der zeitlich folgenden Grabanlagen von Ramses IV. - XI., deren
auch abweichendes Bildprogramm nicht mehr wie bisher den Räumen zugeordnet
werden kann, schien deshalb eine Untersuchung der "Bruchstelle" der Zeit
Ramses III. und seiner Söhne innerhalb der Grabanlagen vordringlich.

Für den historischen Hintergrund dieser Zeit liegen eine Fülle von Veröf-
fentlichungen vor, die sich auch mit der Genealogie nach Ramses III. befas-
sen und das Problem der Personenidentität zwischen den prinzlichen Grabinhabern und den Ramses III. folgenden Königen behandeln.Aus dem Bildprogramm
der bearbeiteten Prinzengräber ergaben sich einige neue Aspekte und Folgerungen zu den genannten genealogischen Fragen. Um Wiederholungen zu vermei-
den, wird der historische Hintergrund nicht an den Anfang gesetzt, sondern
mit den Folgerungen zur Personenidentität in einem letzten gesonderten Abschnitt behandelt.

Nur für das Grab des Prinzen Amun(her)chepeschef liegt bisher eine Dokumentation der ägyptisch/französischen Mission vor. Es ist jedoch vorgesehen,
daß ihre laufenden Arbeiten im Tal der Königinnen auch die Dokumentation
der anderen Prinzengräber umfassen wird.Damit ich den Dokumentationen nicht
vorgreife, habe ich mich bei meiner Arbeit auf die genannte Aufgabenstel-
lung, "Ramses III. in den Gräbern seiner Söhne" beschränkt und lege nur
dann Originaltexte und schematische Zeichnungen vor, wenn es für den Zusammenhang dieser Arbeit unerläßlich ist.

An dieser Stelle gilt mein besonderer Dank der Egyptian Antiquities Orga-
nisation, welche mir trotz der vorgesehenen Dokumentationen die Gelegen-
heit gegeben hat, die Prinzengräber zu untersuchen. Herrn Professor Dr.
Erik Hornung, der gleichzeitig an der Edition des Grabes von Ramses IV.
arbeitet, verdanke ich eine Fülle von Anregungen.

Friedrich Abitz

I. DIE 6 PRINZENGRÄBER

Zu den vier seit langem bekannten Gräbern der Söhne von Ramses III.:

QV 44, Chaemwese,

QV 55, Amun(her)chepeschef,

QV 43, Sethherchepeschef,

QV 42, Paraherwenemef,

wird seit den Ermittlungen von J. Yoyotte [1] das Grab

QV 53, Ramses,

als weiteres Prinzengrab in die Untersuchungen einbezogen. Als 6.
Prinzengrab kann durch die Feststellungen von E. Wente [2] und die
im Frühjahr 1985 vorgenommenen eigenen Untersuchungen das Grab

KV 3, Name unbekannt,

im Tal der Könige als Prinzengrab bezeichnet werden und ist mit Sicherheit für einen Sohn Ramses III. begonnen worden. Den Namen des Prinzen
in den nur noch fragmentarisch vorhandenen Beischriften in dem Grab
konnte ich nicht feststellen, so daß es nachfolgend KV 3, Name unbekannt, bezeichnet wird.

Weder die Geburtsfolge der Prinzen ist ausreichend gesichert, noch ist
der Arbeitsbeginn an den Gräbern bekannt. In der nachfolgenden Bearbeitung der Prinzengräber wird deshalb einer Folge der Vorzug gegeben,
die erst die Gruppe mit einer größeren Gleichartigkeit hinsichtlich
des Bildprogramms und der Bauform behandelt. Die hierfür gewählte Folge: QV 44, QV 55, QV 53, QV 43 ist zwar hinsichtlich der Geburtsfolge
der Prinzen und dem Arbeitsbeginn an den Gräbern willkürlich, gibt jedoch durch den Zusammenhang ähnlicher Elemente in den Gräbern ein bes-
seres Gesamtverständnis. Die beiden in der Bauart stark abweichenden
Gräber: QV 42 und KV 3, werden danach behandelt.

1) J. Yoyotte, JEA 44 (1958), S. 26 - 30.
2) E. Wente, JNES 32 (1973), S. 223 - 234.

Abbildung Nr. 1
Der König und Prinz aus dem Grab des Chaemwese

1. QV 44, Chaemwese

Das Grab des Chaemwese ist das einzige Grab der vier mehr gleichartigen Gräber, welches in seinem Raum- und Bildprogramm als ein fertiggestelltes Grab angesehen werden kann. Die beiden Korridore mit den beiden Nebenräumen und die Sarkophagkammer sind vollständig mit einem Bildprogramm ausgestattet. Das Grab liegt im südwestlichen Teil des Tals der Königinnen nur wenige Schritte von den nachfolgend behandelten Prinzengräbern QV 43 und QV 42 entfernt. [1]

Es wurde 1903 von E. Schiaparelli [2] entdeckt und gesäubert. E. Schiaparelli nimmt an, daß das Grab vor der Entdeckung zweimal, in der 23. Dyna-

1) Für die Lage der Gräber im Tal der Königinnen siehe auch nachfolgend
   P & M I, Part 2, Maps, Nr. XV.
2) E. Schiaparelli, Relazione I, S. 124 ff.

stie und in christlicher Zeit, gewaltsam geöffnet wurde. Von der Grabaus-
stattung war im Grab nichts erhalten. [1] Er berichtet, daß die Bruchstücke
eines Sarkophages, zum Teil in kleinen Stücken, zerstreut im Tal gelegen
haben. [2] Ein großes Bruchstück des Sarkophagdeckels [3] mit den Gesichts-
zügen des Prinzen trägt eine Inschrift Ramses IV.:

[4]

"Begrüßung durch den Osiris, König, Herr Beider Länder (   ) , Sohn des Re,
Herr der Diademe (////."
Er schließt daraus, daß Chaemwese unter der Regierung Ramses IV. starb und
in dem Grab QV 44 bestattet wurde. Das Grab wurde später mit einer großen
Anzahl von Neubestattungen in der 23. bis 26. Dynastie belegt und in kopti-
scher Zeit geplündert.

Eine ausführliche Beschreibung des Bildprogramms mit einer Übersetzung der
Beischriften liegt durch die Arbeit von C. Campbell [5] aus dem Jahre 1910
vor. Auf Einzelheiten wird deshalb nur auf die für diese Arbeit wesentlichen
Szenen eingegangen.

Der Grundriß des Grabes [6] zeigt, daß die beiden vom 1. Korridor abgehenden
Räume gestaffelt angelegt sind. Der 2. Korridor wird durch eine gewölbte
Decke mit weißen Sternen auf gelbbraunem Untergrund betont. [7] Die beiden
ebenfalls gestaffelt angelegten Nischen des 2. Korridors müssen auf einer
nicht zu Ende geführten Planänderung beruhen. Die Ecken der Zugänge sind
verputzt, und der Putz ist einige Zentimeter in die Laibungen hineingeführt
worden. Welche Gestalt die Räume haben und welchem Zweck sie dienen soll-
ten, ist nicht festzustellen. Der letzte, fast quadratische Raum mit seinem
gelblichen Farbuntergrund - die anderen Räume haben eine weiße Grundfarbe -
ist mit Sicherheit die Sarkophagkammer gewesen. Die Korridorbreite des
Grabes wird von E. Thomas [8] mit 212 cm angegeben und könnte somit im Bereich von 4 Königsellen = 210 cm liegen.

1) S. Reisner, ZÄS 37 (1899), S. 66-7[20]; ob die Kanopenkrüge aus diesem
   Grab stammen ist ungewiß.
2) S. a. F. Ballerini, Notizia, S. 17 ff.
3) Heute im Turiner Museum.
4) E. Schiaparelli, Relazione I, S. 132; die Beischrift kann eine Form der
   Zueignung sein.
5) C. Campbell, Two Theben Princes, S. 25-61.
6) Abb. Nr. 2, Abzeichnung aus P & M I, Part 2, S. 750.
7) Im Königsgrab R IV. ist die Decke des 3. Korridors ähnlich gewölbt.
8) E. Thomas, Necropoleis, S. 219. Meine Arbeitserlaubnis erstreckte sich
   nicht auf die Vermessung der Gräber.

Dem Bildprogramm scheint eine konsequente Einteilung zugrundezuliegen:

1. Korridor: der König, gefolgt vom Prinzen, vor den Göttern,

    Nebenräume: der Prinz allein, ohne den König, vor den Göttern,

2. Korridor: der König, gefolgt vom Prinzen, vor den Pforten Nr.

    9 - 16, TB 145 A,

    Sarkophagraum: der König allein, ohne den Prinzen, vor den Göttern.

Diese Einteilung wird jedoch nicht nur in verschiedener Weise variiert, es werden gleichzeitig Schwerpunkte und Bezüge zueinander gesetzt, die aus der schematischen Darstellung des Bildprogramms abgelesen werden können.

Erläuterungen zum Bildprogramm QV 44

Zueignungstexte des Königs (Z)

Die Zueignung enthält stets "Gegeben durch die Gunst des Königs" und die Königstitulatur mit den Königskartuschen; ob ferner "seinem Sohn" sowie die Titel und der Name des Prinzen, wie im 1. Korridor teilweise noch sichtbar, stets folgten, ist wegen der Zerstörungen nicht in jedem Fall zu belegen. Der Zueignungstext beiderseits des Grabeingangs endete wohl ohne den Namen des Prinzen, hierfür ist nach den Spuren hinter der 2. Kartusche des Königs vielleicht "m3^c-hrw = selig [1] (bei) |Osiris| , Herr des Unabsehbaren",[2] zu lesen. Die Zueignungstexte, in senkrechter Schreibung, finden sich außer am Grabeingang beidseitig des Eingangs zu den vom 1. Korridor abgehenden Nebenräumen.

Der 1. Korridor

Die geflügelte Maat, Tochter des Re, ist an der rechten Eingangslaibung vorhanden, links jedoch zerstört. Der König steht allein auf den schmalen Eingangswänden vor den Gottheiten. In diesem und den folgenden Räumen ist dem König stets "Herr Beider Länder (1) , Herr der Diademe (2) ,[3] selig" oder "der selig ist" (pw m3^c-hrw) beigeschrieben und über den König ist, wenn es der zum Teil durch seine hohen Kronen beengte Raum erlaubt, die von Uräen flankierte Sonne (bhd.t) gesetzt. Er tritt nochmals allein vor Re-Harachte am Ende der linken Seitenwand. In der korrespondierenden Szene am Ende der rechten Seitenwand, vor Atum, der Westwand, wird der König von dem Prinzen begleitet. Hinter dem Prinzen ist jedoch eine senkrechte Schriftleiste: "König beider Ägypten,[4] Osiris König, Herr

1) Für m3^c-hrw wird auch künftig stets "selig" verwendet.
2) Für ⟨⟩ wird auch künftig "Unabsehbaren" verwendet.
3) Schreibung der Kartuschen stets: 1 =   2 =
4) Für ⟨⟩ wird die verkürzte Form "König beider Ägypten" verwendet.

13

Schematische Darstellung des Bildprogramms, Chaemwese, QV 44

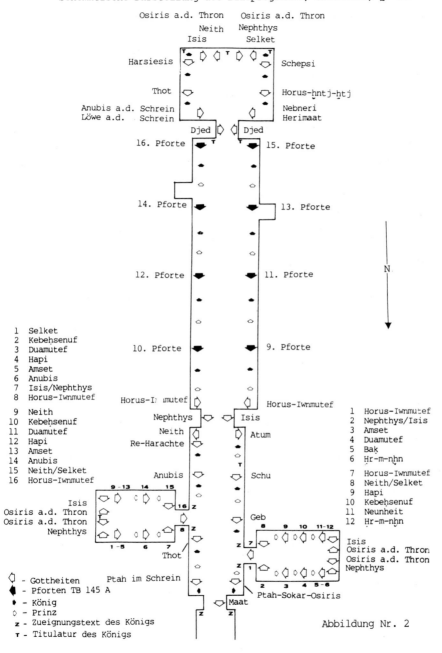

Abbildung Nr. 2

Beider Länder (1) , Sohn des Re, Herr der Diademe (2) , der selig ist,
von Osiris-Chontamenti geliebt". Der Prinz trägt die Beischrift

"sm-Priester des Ptah, des Großen, der südlich seiner Mauer ist, Herr von
Anch-tauj (Memphis), Königssohn, Chaemwese, selig." Sein priesterlicher
Titel entspricht damit der Beischrift zu der ersten Gottesfigur links im
Grab: "Ptah, der Große, der südlich seiner Mauer ist, Herr von Anch-tauj
(Memphis) ". Der Prinz folgt dem König und trägt stets den ḥw-Wedel. [2]
Im ersten Korridor sind die Gottheiten offensichtlich paarweise angeordnet:

        Ptah im Schrein und Ptah-Sokar-Osiris, inmitten der Schetit,
        dessen Darstellung und Text an der Rückwand des rechten Ne-
        benraumes nochmals erscheint.

Bemerkenswert ist, daß der Eingang zum rechten Nebenraum den Prinzen vom
König trennt, d.h. der Prinz tritt vor den Eingang ohne den König. Im rechten Nebenraum wird der Prinz dann auch ohne den König dargestellt.

        Thot, Herr der Gottesworte und Anubis, vor dem Gottesschrein,
        zwischen den Szenen ist der Zugang zum linken Nebenraum.
        Schu, Sohn des Re und Geb, Vater der Götter. [3]
        Re-Harachte, der große Gott und Atum, Herr Beider Länder und
        Heliopolis, die Erscheinungsformen des Sonnengottes;
        Re-Harachte ist auf der Ost- und Atum auf der Westwand angeord-
        net.

Der rechte und der linke Nebenraum zum 1. Korridor

Die beiden Nebenräume sind gestaffelt angelegt. Der rechte, im Westen liegende Nebenraum, hat offensichtlich im Ritualablauf den Vorrang und wird
zuerst vom Prinzen aufgesucht, während der linke Nebenraum, der fast von
der Mitte des 1. Korridors abgeht, die zweite Station bildet. Der Vorrang
der West- vor der Ostseite des Grabes zeigt sich ebenfalls bei der im
Durchgang zum 2. Korridor rechts gestellten Göttin Isis und dem Beginn der

---

1) S.a. K.A.Kitchen, Ramesside Inscriptions V, künftig KRI V genannt,S.368,
nur in seltenen Fällen ist Ptah ohne ⟨—⟩ im Prinzentitel geschrieben,
unwesentlich erscheinende Schreibvarianten werden auch nachfolgend nicht
aufgeführt.
2) Abb.Nr.1, die Darstellung von König und Prinz ist, abgesehen von Kleidung, Kronen und Gebärden,stets gleich in allen Gräbern. Ausnahmen werden entsprechend erläutert.
3) Für die häufig paarweise auftretenden Götter, siehe die Königsgräber bei
F. Abitz, König und Gott, S. 152 f.

Pfortenzählung an der Westwand. Zumindest für diesen Teil des Grabes ist, entgegen der ägyptischen Zählung links vor rechts, der Vorrang den Himmelsrichtungen West vor Ost eingeräumt worden.

Die in der Größe und dem Bildprogramm sehr ähnlich wirkenden Nebenräume weisen wichtige Unterschiede auf. In beiden Räumen tritt der Prinz, ohne den König und ohne Wedel mit erhobenen Armen, anbetend vor die Gottheiten. Horus-Iwnmutef, die Horussöhne und die sogenannten Kanopengöttinnen [1] sind in beiden Räumen gleichermaßen vertreten. Im linken Nebenraum wird den Gottheiten nur der Name in den Beischriften hinzugefügt (außer Isis = die Große), während im rechten Nebenraum den Horussöhnen jeweils zusätzlich "geehrt bei"beigeschrieben ist und zwei Götter folgende Beischriften haben:

Amset: [2]

"Ich bin zu dir gekommen, um dich zu begrüßen (und) den Großen, der in der Stätte ist".

Duamutef:

"Ich bin gekommen, Schutz für dich zu sein, den Schutz deines Leibes zu machen immerdar".

Neunheit   Ḥr-m-nḫn   Baḳ

Im rechten Nebenraum steht am Ende der Seitenwand jeweils ein nackter männlicher Gott mit Falkenkopf: (Ḥr-m-nḫn).
Er folgt rechts einem ibisköpfigen Gott, namens (Baḳ) und links einem hundeköpfigen (schwarz/weiß-gefleckt) Gott: (Neunheit, Herren der Dat).

Diese Götter fehlen im linken Nebenraum, dafür erscheint dort vor den Horussöhnen Anubis, links "der in den Binden ist", rechts "Herr von Rosetau".

1) Es handelt sich hier nicht um eine Funktion der Göttinnen für die Kanopen. Künftig wird das "sogenannte" fortgelassen.
2) Gemeint ist wohl Osiris im Grabhügel.

Die Rückwand zeigt in beiden Räumen zweimal die Osiris-Darstellung: Osiris jeweils Rücken an Rücken auf seinem Thron sitzend. Nur im rechten, westlichen Nebenraum tragen die Osirisfiguren den Uräus an der Stirn und quellen ihnen Lotusblüten und -knospen unter dem Fuß hervor. Im westlichen Nebenraum gibt es drei Gottesbeischriften, jeweils eine vor der Osirisfigur: "Es spricht Osiris-Chontamenti" (links) und "Es spricht Osiris, Herr des Westens" (rechts) und eine, welche zwischen der Rücken an Rücken sitzenden Doppelform des Osiris steht: "Es spricht Ptah-Sokar-Osiris-Chontamenti inmitten der Schetit". Im linken Nebenraum steht an gleicher Stelle zwischen der Doppelform des Osiris: "König beider Ägypten, Osiris König, Herr Beider Länder (1) , Sohn des Re, Herr der Diademe (2) , der selig ist,geliebt von Meresger, Gebieterin des Westens". Vor den Osirisfiguren steht: links "Es spricht Osiris, Herr des abgeschirmten Landes" [1] und rechts "Es spricht Osiris-Chontamenti".

Dem Prinzen sind Titel und Namen wie im 1. Korridor beigeschrieben, jedoch fehlt im linken Nebenraum $m3^c$-ḥrw, welches im rechten Nebenraum stets vorhanden ist. In beiden Nebenräumen ist in Einzelfällen "der leibliche" und "der geliebte" zu "Königssohn" hinzugesetzt.

Der 2. Korridor

Der Gott Horus-Iwnmutef und seine Beischriften sind auf beiden Eingangswänden stark zerstört. Die Zählung der Pforten aus dem Totenbuch 145 A beginnt rechts mit der 9. Pforte im Westen und endet mit der 16. Pforte im Osten. Die Wächter der 15. und 16. Pforte sind so auf den schmalen Ausgangswänden angeordnet, daß sie die folgende Sarkophaghalle zu bewachen scheinen.[2]

Der König, gefolgt vom Prinzen, steht jeweils vor den Pforten [3], deren Text [4] mit:

beginnt und sich demnach an den König richtet. Der König behält seine bisherige Titulatur wie im 1. Korridor, während sich die des Prinzen wie folgt ändert:

Nach seinen Titeln und vor seinen Namen wird stets die Kartusche mit dem Geburtsnamen des Königs gesetzt. [5]

1) Für wird auch künftig "abgeschirmtes Land" verwendet.
2) S. die Abbildung bei E. Schiaparelli, Relazione I, S. 127.
3) Die Pforten Nr. 13 u. 14 sind durch die Durchbrüche teilweise zerstört.
4) Pfortentexte bei C. Campbell, Two Theban Princes, S. 107 - 112.
5) demnach nicht die von C. Campbell, S. 111 angegebene Schreibung:

In der ersten Szene (9. und 10. Pforte) wird nach "selig" hinzugefügt
"in Ewigkeit".

Vor der 13. und 14. Pforte werden Zusätze eingeschoben:

14. Pforte nach "Königssohn":

13. Pforte nach "Königssohn":

Die Zusätze werden von einer Änderung der prinzlichen Ausstattung begleitet:

Vor der 9. und 10. Pforte trägt er nunmehr den šwt-Wedel ( ).

Vor der 13. und 14. Pforte trägt er abweichend das ḥḳꜣ.t-Zepter( ).

Vor den Pforten Nr. 11, 12, 15 und 16 trägt er wie bisher den ḥw-Wedel.

Die gleichzeitige Ausstattung des Prinzen mit dem -Szepter und die Titeländerung des Prinzen, welche ihn als an der Spitze, oder als den Ältesten der Söhne ausweist, scheint religiös bedingt, wie später nachgewiesen wird. Ihr Vorkommen nur an dieser Stelle·im Grab zeigt an, daß es sich offensichtlich nicht um einen von ihm zu Lebzeiten getragenen Titel handeln kann.

Den Durchgang zur Sarkophaghalle begleiten im 2. Korridor senkrechte Schriftleisten: "König beider Ägypten, Herr Beider Länder (1) , Sohn des Re, Herr der Diademe (2) , der selig ist, geliebt von Osiris-Chontamenti (links), von Meresger, Gebieterin des Westens" (rechts). Es ist keine Zueignung der Sarkophaghalle für den Prinzen. Sie ist nach diesem Text dem König gewidmet, der auch allein, ohne den Prinzen, in der Sarkophaghalle vor den Gottheiten dargestellt wird.

Die Sarkophaghalle

Die Laibungen des Durchgangs zur Sarkophaghalle sind mit dem Djed-Pfeiler geschmückt, der jeweils von senkrechten Schriftleisten eingerahmt ist. Zu der Darstellung ist beiderseits beigeschrieben: "Es spricht Osiris, Herr des Westens, der große Gott" und zusätzlich auf jeweils einer Seite "Herr von Busiris, der große Gott, Herr des Westens" oder "Osiris-Chontamenti, Herrscher der Ewigkeit".

Der letzte Raum des Grabes, der allein in einer gelben Grundfarbe dekoriert wurde, ist mit Sicherheit die Sarkophaghalle, obgleich der Prinz in ihr nicht erscheint. Die beiden Eingangswände zeigen Teile der sogenannten Dämonen-Darstellungen; nachfolgend stets unter dem Begriff "Wächtergottheiten" zusammengefaßt. Auf der linken Eingangswand: Anubis auf dem Schrein, darunter ein Löwe auf dem Schrein, davor in senkrechter Schreibung: "Es

spricht Anubis, der in den Binden ist, (zu) Osiris König, Herr Beider Länder (1 ❳ , Sohn des Re, Herr der Diademe (2 ❳ , geliebt von Osiris, Herr
des Unabsehbaren, Herrscher der Ewigkeit, der große Gott". Auf der rechten
Eingangswand, als Pendant zu der vorgenannten Darstellung, steht Nebneri
und dahinter sitzt Herimaat.[1)]

Auf den Seitenwänden ist der König mit seinen bisherigen Titeln vor jeweils
zwei Göttern abgebildet:

    links: vor Thot, Herr der Gottesworte und Horus-Sohn-der-Isis,

    rechts: vor Horus-ḫntj-ḫtj und Schepsi, der große Gott.

Jeweils am Ende der Seitenwände, unmittelbar vor und mit der Schreibrichtung zur Rückwand, befinden sich senkrechte Schriftleisten mit folgendem
Text: "König beider Ägypten, Osiris König, Herr Beider Länder (1 ❳ , Sohn
des Re, Herr der Diademe (2 ❳ , der selig ist, geliebt von Osiris, vor dem
Gottesschrein", rechts ist der gleiche Text am Ende nach "Osiris" zerstört.

In der Mitte der Rückwand ist die Doppelform des Rücken an Rücken auf seinem Thron sitzenden Osiris dargestellt; zwischen den Figuren steht: "König
beider Ägypten, Osiris König, Herr Beider Länder (1 ❳ , Sohn des Re, Herr
der Diademe (2 ❳ , der selig ist, geliebt von Osiris-Chontamenti". Vor
den Osirisfiguren steht: links "Es spricht Osiris vor dem Gottesschrein,
der große Gott, Herr des Westens", rechts "Es spricht Osiris-Chontamenti,
der große Gott, Herr der Ewigkeit und des Unabsehbaren". Der Gottesfigur
quellen unter dem Fuß Lotusblüten und -knospen hervor, auf denen die kleinen Abbilder der Horussöhne stehen, links nur menschenköpfig, rechts men-
schen- und tierköpfig. Vor der Doppelform des Osiris stehen links Neith,
die Große, und Isis, die Große; rechts Nephthys, die Gebieterin des Westens, und Selket, die Große.

2. QV 55, Amun(her)chepeschef

Das Grab ist nicht fertiggestellt worden, es sind von den 5 Räumen des Grabes nur der erste Raum und der nachfolgende Korridor dekoriert. Das Grab
liegt im nordwestlichen Teil des Tales der Königinnen zwischen den unweit
entfernten Gräbern des Prinzen Ramses (QV 53) und der Königin Titi (QV 52).
Es wurde 1904 von E. Schiaparelli [2)] geöffnet und gesäubert. Nach seinem
Bericht muß es mehrfach beraubt worden sein. Ein roter Granitsarkophag wur-

1) Abbildungen, Beschreibung und Texte im Abschnitt II/3, "Die Wächtergottheiten".
2) E. Schiaparelli, Relazione I, S. 43 - 154.

Schematische Darstellung des Bildprogramms, Amun(her)chepeschef, QV 55

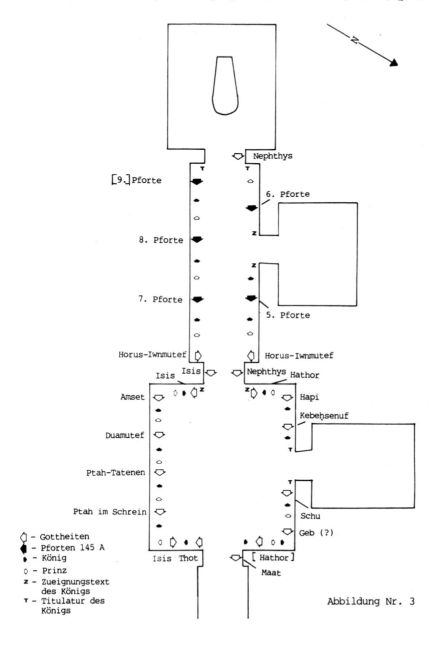

Abbildung Nr. 3

de im 2. Raum des Grabes, demnach nicht in der undekorierten Sarkophagkammer gefunden. Das von einer großen Perücke eingerahmte Gesicht auf dem Sarkophagdeckel und das Fehlen jeglicher Inschriften lassen Zweifel daran bestehen, ob der Sarkophag für den Prinzen Amun(her)chepeschef bestimmt gewesen ist. Einen Beweis für seine Bestattung in diesem Sarkophag oder in dem Grab gibt es nicht. Das bei der Entdeckung des Grabes in dem Sarkophag gefundene Skelett ist verloren gegangen und sicher nicht mit dem Fötus, der heute in der Sarkophagkammer ausgestellt wird, identisch.

Nach der Beschreibung des Grabes durch C. Campbell [1] liegt nunmehr die Dokumentation von F. Hassanein und M. Nelson [2] vor, so daß nur auf die für diese Arbeit wesentlichen Darstellungen und Texte eingegangen wird. Der Grund- und Aufriß [3] zeigt gegenüber QV 44, Chaemwese, Abweichungen. Das Grab QV 55 beginnt mit einem Raum und nicht wie QV 44 mit einem Korridor. Die gleichermaßen vorhandenen Nebenräume haben eine andere Lage, sie gehen beide nach Westen ab und jeweils von einem anderen Raum aus. Die fehlenden Dekorationen geben keinen Hinweis auf die vorgesehene Bestimmung der Nebenräume.

Die in der Dokumentation genannten Abmessungen der Räume stimmen nicht mit den königlichen Maßen überein.

Erläuterungen zum Bildprogramm QV 55

Zueignungstexte des Königs (Z)
Von den Texten außerhalb des Grabeingangs sind nur Spuren erhalten. Seitlich des Durchgangs zum 2. Raum sind im 1. Raum ebenso Zueignungstexte des Königs vorhanden, wie seitlich des Durchgangs vom 2. Raum zum rechten Nebenraum. Die Texte scheinen identisch gewesen zu sein (im 2. Raum teilweise zerstört) und lauten:

Diese Inschrift hat zu unterschiedlichen Interpretationen geführt. C. Campbell [4] übersetzt: "given as a favour on the part of the sovereign ruler, the lord of the Two Lands, son of Ra, lord of diadems, R. III. the great royal births"; dagegen Peet [5] "given by favour of King Ramesses III to the

1) C. Campbell, Two Theben Princes, S. 65 - 81.
2) F. Hassanein et M. Nelson, CEDAE 1976, Vallée des Reines.
3) Grundriss: Abbildung Nr. 3; Aufriß: CEDAE 1976, Pl. V.
4) C. Campbell, Two Theben Princes, S. 73 f.
5) T.E. Peet, JEA 14 (1928), S. 58.

great royal children", und fährt fort: "which suggests that more than one
of them was intended to be buried there". Weder E. Wente [1] noch W. Murnane [2] glauben, daß aus dieser Inschrift auf die Bestattung mehrerer Kö-
nigskinder in diesem Grab geschlossen werden kann. In dem Grab wird jedoch
nur der Prinz mit seinen Titeln und dem Namen Amun(her)chepeschef abgebildet, und es gibt in dem Bildprogramm des Grabes keinen Hinweis auf eine
beabsichtigte Mehrfachbestattung. [3]

Der 1. Raum

An der rechten Laibung des Durchgangs zum 1. Raum sind Teile der geflügelten [Maat] , Tochter des Re, erhalten. Im 1. Raum sind die Gottheiten paarweise angeordnet:

Isis, die Große, die Gottesmutter	und	[Hathor ?]

Vor den beiden Göttinnen steht der König ohne den Prinzen, jedoch vor Isis
von Thot begleitet. Der Gott geht mit dem König in das Grab hinein!

Ptah (im Schrein), vor dem Heiligtum des Tatenen	und	Ptah-Tatenen,[4] Vater der Götter
Schu, Sohn des Re	und	[Geb ?]
Duamutef,[4] Amset	und	Kebehsenuf, Hapi.

Zum zweiten Mal in gleicher Verteilung wie auf den Eingangswänden, nunmehr
auf den Ausgangswänden, stehen:

Isis, die Große, Gebieterin des Westens	und	Hathor, Gebieterin des Westens.

Die Titulatur des Königs vor den Göttern ist stets "Herr Beider Länder
(1) , Herr der Diademe (2) , selig" oder "der selig ist", über seinem
Kopf, wenn der Raum hierzu ausreicht, wird die von Uräen flankierte Sonnenscheibe gebracht.

Die Titulatur des Prinzen ändert sich wie folgt im Raum:

"Königlicher Schreiber, Aufseher der Pferde der Streitwagenstation des
(1) , Königssohn, sein leiblicher, sein geliebter, Amun(her)chepeschef,

1) E. Wente, JNES 20 (1961), S. 254.
2) W.J. Murnane, JARCE 9 (1971-72), S. 126.
3) Sollte sich der Text nicht allein auf dieses Grab beziehen, sondern alle
   von R. III. ausgestatteten Prinzengräber meinen?
4) Abb. Nr. 4.

selig", ist ihm in den ersten Szenen vor Ptah und wahrscheinlich auch [Geb]
beigeschrieben. In den Szenen vor Ptah-Tatenen, Schu und Duamutef wird zusätzlich davorgesetzt: "Erbprinz, Erster Beider Länder".

In den Szenen vor Amset und Isis erfolgt eine zusätzliche Titelerweiterung:
Vor Amset: "Erbprinz, Erster Beider Länder, Königssohn, sein leiblicher,
sein geliebter, geboren von der Gottesgemahlin, der Gottesmutter, der gros-
sen königlichen Gemahlin", es folgt "königlicher Schreiber, der Militärtitel, Name, selig".
Vor Isis: wie vor Amset, jedoch folgt nach "geboren von" nur "der großen
königlichen Gemahlin, der Herrin der Länder", es fehlen demnach "der Gottesgemahlin, der Gottesmutter".

Bemerkenswert ist, daß die Horussöhne in ihrer Ansprache an den König diesen, wie keine der anderen Gottheiten in diesem Raum, als "Osiris König"
titulieren und offensichtlich eine gleichartige Aussage vornehmen:
"Es spricht: geehrt von Duamutef (zu) Osiris König, Herr der Diademe (2),
der selig ist (2 x) ". Abweichungen: Amset "Herr Beider Länder (1) ", Kebehsenuf wie Amset (1 x), Hapi wie Amset. Es folgen die Zusätze:

Duamutef: "Ich habe dir deine Kinder gebracht, die aus deinen Gliedern
              entstanden sind. Sie geben dir ////".
Amset: "Ich habe dir deine Brüder, die Götter, gebracht, sie machen
              für dich ihre Lobpreisungen".
Kebehsenuf: "Ich habe dir die im Himmel sind gebracht, ich habe dir die in
              der Erde sind gebracht".
Hapi: "Ich habe dir deine Kinder, die Götter, gebracht, die aus
              deinen Gliedern entstanden sind. Sie geben dir Lobpreisungen".

Die Horussöhne sowie Isis und Hathor auf der Ausgangswand sind mit ihrem
Oberkörper dem König zugewendet und die Richtung ihrer Beischriften weisen zum König, jedoch ist ihr Unterkörper dem Grabinneren so zugewendet,
daß sie nach der Fußstellung den König in das Grab zu begleiten scheinen.[1]
Seitlich des Durchganges zum Nebenraum des 1. Raumes ist die Titulatur des
Königs beidseitig angebracht: "König beider Ägypten, Osiris König, Herr
Beider Länder (1) , Sohn des Re, Herr der Diademe (2) , der selig ist,
von Meresger //// geliebt", rechts "von Hathor, Gebieterin des Westens
[geliebt]".

1) Abb. Nr. 4 u. 19.

Abbildung Nr. 4

Der König und Prinz, Amun(her)chepeschef, vor Ptah-Tatenen und Duamutef

Der 2. Raum

Die Laibungen im Durchgang zum 2. Raum sind mit Isis und Nephthys dekoriert, die njnj machen. "Es spricht Isis, die Große, die Gottesmutter" links und "Nephthys, die Gebieterin des Westens" rechts, jeweils zu "Osiris König, Herr Beider Länder (　　）, der selig ist". Auch Horus-Iwnmutef spricht gleichermaßen zum König als Osiris auf den beiden schmalen Eingangswänden.

An den Seitenwänden des 2. Raums befinden sich die 5. - 9. Pforte [1] aus dem Totenbuch 145 A. Vor den Pforten 5, 7 - 9 folgt der Prinz dem König, vor der 6. Pforte steht der König allein und nach dieser Pforte ist der Prinz allein dargestellt. Einer trotz der Wandverkürzung durch den Durchgang zum Nebenraum möglichen Verteilung der Szenen, wie auf der linken Seite, ist offensichtlich der gewählten Szenenaufteilung der Vorzug gegeben worden. Sie läßt den Prinzen am Ende der rechten Wand [2] allein in den folgenden Raum, die nicht dekorierte Sarkophagkammer, gehen. Nach dem Durchgang zum Nebenraum ist beidseitig am Ende des Korridors, unterhalb der Pfortendarstellungen, eine zum Grabeingang blickende geflügelte Uräusschlange mit vielen Windungen und dem šn-Ring dargestellt. [3]

Vor den Pforten wird der König zumeist als "König, Herr Beider Länder (1 ）, Sohn des Re, Herr der Diademe (2 ）" begrüßt, nur vor der 6. Pforte ist vor "Herr Beider Länder" der Titel "Osiris König" gesetzt worden. Diese Titeländerung erfolgt bei der Pforte, vor welcher er allein, ohne den Prinzen, steht. Die Pforten der Westwand, die 5. und 6. Pforte, tragen seitlich des Pfortendurchgangs in senkrechter Schreibung die erweiterte Titulatur des Königs:

$$\text{𓆼𓃒𓎛 𓏤𓈖𓈖𓏏𓌕 𓈖 (1) 𓏤𓁹𓈖𓏲 (2) 𓄿𓈖𓈖 𓎛 𓊖𓂝}$$

Vor der 5. Pforte trägt der König das ⌐| -Szepter.
Der Prinz trägt stets den ḥw-Wedel; seine Titel variieren im 2. Raum wie folgt:
7. Pforte:"Erbprinz, Erster Beider Länder, königlicher Schreiber, Aufseher

1) Die Zahl zur letzten Pforte auf der linken Seitenwand ist zerstört. Nach der Folge 5. und 6. Pforte rechts und 7. und 8. Pforte links, kann nur die 9. Pforte angenommen werden.
2) Nach ägyptischer Zählung (links vor rechts) ist es das Ende der figürlichen Dekoration.
3) Abb. Nr. 5

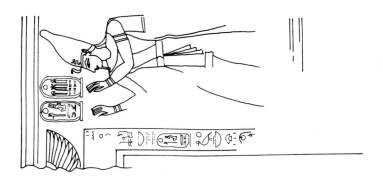

Abbildung Nr. 5

Der König vor und der Prinz Amun(her)chepeschef nach der 6. Pforte TB 145 A,
2. Raum, Ende der rechten Seitenwand. An den mit A bezeichneten Stellen der
Pforte ist die Titulatur des Königs angebracht.

25

der Pferde, Königssohn, Amun(her)chepeschef, selig."

5. Pforte: wie 7. Pforte, jedoch ohne "Erster Beider Länder" und den Zusatz
"wr" nach dem Militärtitel.

8.,9.Pforte und nach der 6. Pforte:"Königlicher Schreiber, Aufseher der
Pferde der Streitwagenstation des (1)(, Königssohn, Amun(her)-
chepeschef, selig."

Die Ausgangswände beziehen sich auf die folgende, unfertige Sarkophagkammer und sind beidseitig mit der Titulatur des Königs versehen (Osiris-Titel). Über dem Durchgang sind die beiden, von geflügelten Uräusschlangen
mit dem šn-Ring umrahmten Kartuschen des Königs dargestellt.

3. QV 53, Ramses

Das Grab liegt im Nordwestteil des Tales der Königinnen zwischen den Gräbern des Prinzen Amun(her)chepeschef und der Königin Titi. Die etwa noch
bis zur Hälfte seiner Wandhöhe verschüttete Anlage wird seit dem Frühjahr
1985 von der ägyptisch/französischen Mission gesäubert. Eine Vermessung
des Grabes wird danach erfolgen. Die bisher vorliegende Angabe von E. Thomas [1] mit 181 - 185 cm für die Korridorbreite reicht nicht aus, um zu bestimmen, ob es sich um königliche oder nichtkönigliche Maße in diesem Grab
handelt.

Die bisher sichtbaren Dekorationen sind bis auf einige Fragmente zerstört,
aus denen J.Yoyotte [2] das Grab dem Sohn Ramses III., dem Prinzen Ramses,
zuordnen konnte. Nach seinen Feststellungen sind in dem nachfolgenden
Grundriß die noch vorhandenen Dekorationselemente eingetragen.

Erläuterungen zum Bildprogramm

Im 1. Raum waren die Kartuschen des Königs wiedergegeben [3], demnach ist zu
vermuten, daß der König mit dem Prinzen vor den Göttern dargestellt gewesen
ist. [4]

Im 2. Raum ist nach den Laibungen, am Anschlag für die Flügeltüren, Nephthys, als Gebieterin des Westens dargestellt, demnach stand wahrscheinlich
Isis auf der korrespondierenden linken Seite.

1) E. Thomas, Necropoleis, S. 219.
2) J. Yoyotte, JEA 44 (1958), S. 26 - 30.
3) R. Lepsius, Denkmäler, Text III, S. 229, a =
4) Die Decke des Raumes ist gewölbt.

1   2

Schematische Darstellung des Bildprogramms, Ramses, QV 53

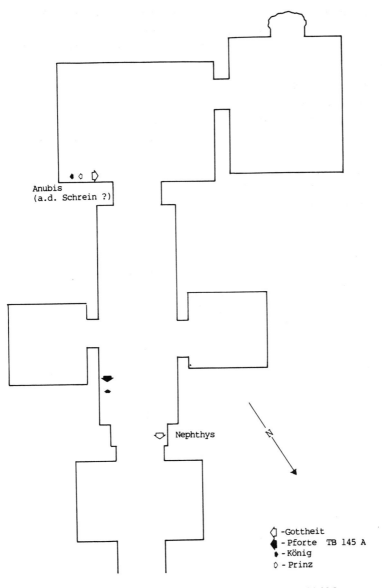

Anubis
(a.d. Schrein ?)

Nephthys

◊ -Gottheit
◆ - Pforte TB 145 A
♦ -König
◊ - Prinz

Abbildung Nr. 6

Von dem Text der Pforten des Totenbuches 145 A ist im 2. Raum ein ausreichend großes Inschriftenfragment verblieben, um sicher zu sein, daß dieser
Raum, wie in den vorbesprochenen Gräbern QV 44 und QV 55 mit den Pforten
ausgestattet gewesen ist. Die ebenfalls gesicherten Fragmente der Titulatur des Königs zeigen, daß er, wie in den anderen Prinzengräbern als "Herr
Beider Länder (////) , Herr der Diademe (////) " und über ihm mit der
von Uräen flankierte Sonne erschien.

Das nachfolgend wiedergegebene Fragment (Abbildung Nr. 7) wurde an der linken Eingangswand des 3. Raumes vorgefunden. Die horizontale Schreibung eines Textes zu [Anubis] ist nach den Vergleichsmerkmalen der anderen Prinzengräber zu dem liegenden Anubis auf dem Schrein zu erwarten. Das berechtigt zu der Vermutung, daß es sich um die stets an der linken Eingangswand
der Gräber vorgefundene Szene mit Anubis auf dem Schrein und darunter dem
Löwen auf dem Schrein handelt. Dementsprechend wäre dann der 3. Raum als
Sarkophagkammer anzusehen.

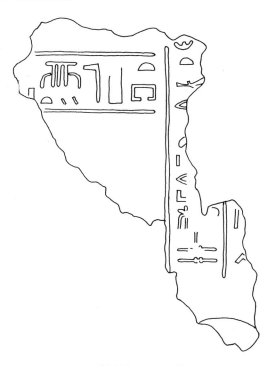

Abbildung Nr. 7
Textfragment aus dem 3. Raum von QV 53

Die rechte Seite des Textfragmentes hat J. Yoyotte wie folgt ergänzt:

"..., geboren von der großen ⌈königlichen⌉ Gemahlin
⌈Königs⌉sohn, Ramses."

Der Text wurde nach dem Namen "Ramses" nicht fortgeführt, wie das Ende der
Registerlinie und die Scheitellinie des Prinzen anzeigt. Die Weiterführung
des Textes in einer neuen Kolumne ist durch den links beginnenden Text zu
⌈Anubis⌉nicht möglich. Die Titel- und Namensbeschriften zu den Prinzen stehen in den übrigen Prinzengräbern stets an der Abschlußleiste zur Decke be-
ginnend, in mehreren Kolumnen und werden nicht an anderer Stelle, etwa
seitlich des Prinzen fortgeführt. Ein gleicher Stand der Titel- und Namens-
beschrift kann, entsprechend der Scheitellinie, auch hier angenommen werden. Diese Beischrift enthielt demnach kein m3^c-ḫrw am Schluß, und der
Prinz trug nur den Namen "Ramses".

J. Yoyotte konnte nachweisen, daß in diesem Grab zwei Dekorationen in zwei
Schichten übereinander angebracht worden sind, ohne daß eine Änderung der
Darstellungen an den von ihm vorgefundenen Stellen erfolgte. Zu dem abgebildeten Textfragment schreibt er: "The large fragment of plaster, which in
principle belongs to the second decoration of the tomb - if, of course,
room V ever received two successive decorations - is sufficient to prove
that tomb no. 53 of the Valley of the Queens was made or re-made for the
son of a king and of a great king's wife, a certain Ramesses."

4. QV 43, Sethherchepeschef

Das Grab wurde 1903 von E. Schiaparelli [1] entdeckt und gesäubert. Er
glaubt, daß es vielleicht niemals für das Begräbnis des Prinzen verwendet
wurde, jedoch ist es später in der 23. - 26. Dynastie für Neubestattungen
benutzt worden. Einen Sarkophag, oder ein Indiz, welches auf die Existenz
des Sarkophages hinweisen könnte , ist bei der Entdeckung des Grabes nicht
gefunden worden. [2]

Das Grab liegt im südwestlichen Teil des Tales der Königinnen zwischen den
nur wenige Schritte entfernten Gräbern des Chaemwese (QV 44) und des Paraherwenemef (QV 42). Ähnlich dem Grab QV 44 besitzt es zwei Korridore
und anschließend eine kleine Halle, welche in zwei zusätzliche Räume führt.

1) E. Schiaparelli, Relazione I, S. 124 ff.
2) F. Ballerini, Notizia, S. 19.

Der in der Grabachse liegende 4. Raum ist vollständig dekoriert, der nach
Osten aus der linken Seitenwand abgehende Nebenraum blieb ungeschmückt, ist
aber in der Steinmetzarbeit fertiggestellt.Alle Decken der Räume sind flach,
ohne Wölbungen. Die stichprobenweise genommene Vermessung ergab keinen
schlüssigen Anhalt für die Verwendung königlicher Maße.

Erläuterungen zum Bildprogramm QV 43

Zueignungstexte des Königs (Z)

Die außen am Grabeingang möglicherweise vorhanden gewesenen senkrechten
Textzeilen sind durch ihre Zerstörung nicht mehr zu identifizieren. Zueignungstexte des Königs sind am Ende des 2. Korridors für den 3. Raum und im
3. Raum für den nicht dekorierten Nebenraum vorhanden. Der Text im 2. Korridor lautet: "Gegeben durch die Gunst des Königs, des Herrn Beider Länder
(   ) , Sohn des Re, Herr der Diademe (   ) [1], seinem Sohn ////" und
wird - die unteren Teile der Beischriften sind zerstört - vor dem genannten
Nebenraum ähnlich gelautet haben.

Der 1. Korridor

Wenngleich die Anzahl der Gottheiten auf beiden Seitenwänden gleich ist,
scheint, analog zu den übrigen Prinzengräbern, ein paarweiser Bezug dann
gegeben zu sein, wenn eine diagonal versetzte Form teilweise vorliegt. So
werden jeweils in Bezug zueinander stehen:

Ptah im Schrein (fast vollständig zerstört)	und	Ptah-Sokar-Osiris, inmitten der Schetit.
Geb (stark zerstört)	und	Schu, der Sohn des Re.

Ein "Paar" am Ende des Korridors bilden:

Re-Harachte, der große Gott, gefolgt von Isis, der Großen und Nephthys	und	Osiris Herr von jtf3.wr[2] (⌒◣⌒), gefolgt von Selket und Neith, der Großen.

Eine entsprechende Paarbildung ist dann allerdings nicht möglich für

Anubis, der in den Binden ist, der große Gott und Sachmet,
die Große.

Vor alle Gottheiten tritt der König, gefolgt vom Prinzen. Der König hat
über sich,wenn der verbleibende Raum es erlaubt, die von den Uräen um-

1) In QV 43 variieren die Schreibungen der Königsnamen:

$$1 = \quad 2 = \quad 3 = \quad 4 =$$

2) S.a. Amduat Nr. 714; Pyr.Text 627 a und S. Cauville, La Théologie d'Osiris à Edfou, BdE XCI, (1983) S. 181.

Schematische Darstellung des Bildprogramms, Sethherchepeschef, QV 43

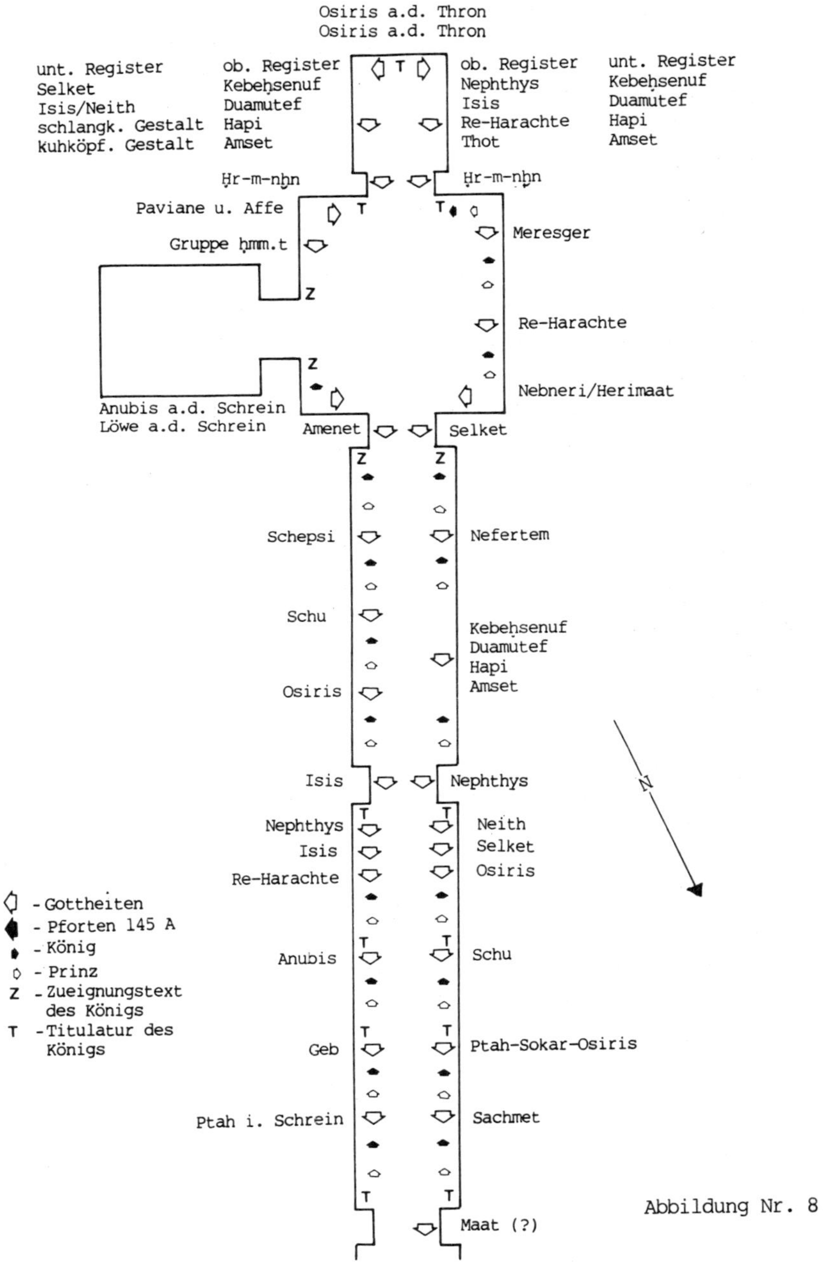

Osiris a.d. Thron
Osiris a.d. Thron

unt. Register	ob. Register		ob. Register	unt. Register
Selket	Kebehsenuf		Nephthys	Kebehsenuf
Isis/Neith	Duamutef		Isis	Duamutef
schlangk. Gestalt	Hapi		Re-Harachte	Hapi
kuhköpf. Gestalt	Amset		Thot	Amset

Ḥr-m-nḫn — Ḥr-m-nḫn

Paviane u. Affe

Gruppe ḥmm.t

Meresger

Re-Harachte

Anubis a.d. Schrein
Löwe a.d. Schrein

Amenet — Selket

Nebneri/Herimaat

Schepsi — Nefertem

Schu

Kebehsenuf
Duamutef
Hapi
Osiris — Amset

Isis — Nephthys

N

Nephthys — Neith
Isis — Selket
Re-Harachte — Osiris

Anubis — Schu

Geb — Ptah-Sokar-Osiris

Ptah i. Schrein — Sachmet

Maat (?)

◊ - Gottheiten
◆ - Pforten 145 A
♦ - König
○ - Prinz
Z - Zueignungstext
des Königs
T - Titulatur des
Königs

Abbildung Nr. 8

schlossene Sonnenscheibe, und ihm ist stets beigeschrieben: "Herr Beider Länder (1) , Herr der Diademe (2) ", es fehlt jeweils "selig" oder "der selig ist". Der Prinz trägt stets den ḥw-Wedel und zumeist die Titulatur:

[Hieroglyphen] (1) (2) ¹⁾

Lediglich vor Anubis steht:

[Hieroglyphen] (2)

Er ist demnach der erste Königssohn (oder der älteste) seiner Majestät genannt und Wagenlenker (oder erster Wagenlenker seiner Majestät) des königlichen Stalls Ramses III. Hinter dem Prinzen ist, mit Ausnahme der zweiten Szene, die Titulatur des Königs, in senkrechter Schreibung, mit dem Osiris-Titel wiederholt: "König beider Ägypten, Osiris König, Herr Beider Länder (1) , Sohn des Re, Herr der Diademe (2) ////".
Gleichartige Schriftleisten finden sich an den beiden schmalen Ausgangswänden, nur beginnt der Text dort anstelle von [Zeichen] mit [Zeichen] und endet links nach "selig" mit "Osiris-[Chontamenti ?]" und rechts mit "Meresger".

Der 2. Korridor

Im Durchgang zum 2. Korridor machen Isis, die Große und Nephthys njnj.
Der König, gefolgt vom Prinzen, der in den ersten Szenen jeweils den šwt-Wedel und in den folgenden Szenen den ḥw-Wedel trägt, steht vor folgenden Gottheiten:
links: Dem unversehrt Erwachenden ([Zeichen] , rś-wḏ3, Beiname des Osiris) ²⁾,
Erster der Schetit. Der Gott trägt die Szepter des Osiris in der gleichen Haltung, wie dessen in Binden gehüllte Erscheinungsform ist jedoch nicht in Mumienform, sondern wird mit gelösten Gliedern und roter Hautfarbe dargestellt. Über ihm schwebt die roten Sonnenscheibe, die Stirn trägt den Uräus, der Kopfputz besteht aus zwei im Schwung herabfallenden, dünnen Streifen.
Schu, Sohn des Re.
Schepsi, der Re ist ([Zeichen]).

1) Der Text ist bei einigen Szenen zerstört, läßt sich jedoch wie angegeben ergänzen, z.B. fehlt [Zeichen] im Prinzentitel vor Schu. Für weitere Textvarianten im Grab siehe bei KRI V, S. 374.
2) Vergleiche Grab KV 17, Sethos I., linker Nebenraum zur Sarkophaghalle mit der Schreibung [Zeichen] , F. Abitz, König und Gott, S. 162 u. 260.

rechts: Den Horussöhnen, vor denen jeweils ein Speisetisch steht. Beigeschrieben ist "geehrt von" und der Name, zusätzlich bei Hapi "der
große Gott, Herr des Westens, der in der Dat ist."
Nefertem, ohne weiteres Epitheton.

Der König ist, wie im 1. Korridor stets "Herr Beider Länder (3] , Herr
der Diademe (4] ", [1] eine weitere Königsinschrift hinter dem Prinzen
gibt es im 2. Korridor nicht.

Der Prinz ändert seine Titulatur:

in den 1. Szenen, vor dem unversehrt Erwachenden und den Horussöhnen:

[hieroglyphs]

in den folgenden Szenen:

[hieroglyphs] [3]

Der Prinz ist nunmehr zu einem Osiris geworden. Am Ende des Korridors stehen beiderseitig der König, gefolgt vom Prinzen, vor dem Durchgang, bereit
die Sarkophaghalle zu betreten.

Die Halle

Teile der Wände werden von den Wächtergottheiten eingenommen, das sind:

Eingangswände:

links, übereinander dargestellt, oben Anubis auf dem Schrein, "an der
Spitze des abgeschirmten Landes", darunter ein Löwe auf dem
Schrein, ohne Beischrift. Vor den beiden Darstellungen, in senkrechter Schreibung,"Osiris, militärischer Titel des Prinzen" der
Rest ist fast vollständig zerstört. Innerhalb des Militär-Titels
steht der Thronname des Königs (Form 1), so daß erwartet werden
kann, daß der Geburtsname des Königs ebenfalls folgte. [4]

rechts, der stehende, löwenköpfige Gott Nebneri, mit einem Messer in der
rechten Hand und der sitzende Gott Herimaat.[5]

linke Seitenwand:

vor dem Durchgang zum undekorierten Nebenraum bringt der König das

1) "selig" oder "der selig ist" kann wegen der Zerstörungen nicht identifiziert werden.
2) Einschub auf der rechten Wandseite ⊙◻ und "Königssohn" vor dem Namen.
3) Der Schluß lautet auf der rechten Wand ▽ ◣ ,am Korridorende ist der
Text etwas verkürzt.
4) Ob das in Höhe d. Löwenkopfes stehende Textfragment ≣ "der älteste"
bedeuten kann, ist nicht festzustellen.
5) S. die Abbildungen unter "Wächtergottheiten", II/3.

Rauchopfer dar;

nach dem Durchgang, wahrscheinlich auf einem heute zerstörten Schrein sitzend: Geier, hockendes Nilpferd mit 2 Messern und ein hockender Gott en face mit 2 Messern, darüber die Beischrift ⳥𓄿𓄿𓊪 künftig als "Gruppe ḥmm.t" bezeichnet.

linke Ausgangswand:

mit Blickrichtung zum Durchgang, d.i. entsprechend der Stellung des Königs in den Gräbern, das Grabinnere (!): ein Affe mit Bogen, dahinter zwei hockende Paviane mit unbeschrifteten Pektoralen . Über der Darstellung ein Falke mit ausgebreiteten Schwingen, in den Krallen je ein ḫw-Wedel waagerecht haltend, über seinem Kopf die Sonnenscheibe. Die Beischrift zur Gruppe lautet: 𓇋𓁐𓏤

rechte Seitenwand:

Der König tritt, gefolgt vom Prinzen, dieser mit dem ḫw-Wedel, jeweils vor Re-Harachte und Meresger. Re-Harachte ist ohne jegliche Beischrift gelassen worden und nur an seiner bildlichen Ausführung zu erkennen. Er trägt vor sich zwei Palmenblattrippen, die Verjüngung verheißen, zwischen ihnen steht in senkrechter Schreibung "Osiris König, Herr Beider Länder (3) , Herr der Diademe (////". Eine Beischrift zum König fehlt, sie ist offensichtlich durch die genannte Inschrift ersetzt, während der Prinz seine übliche Beischrift besitzt. [1] Meresger ist ein umfangreicher Text beigeschrieben: "Leben und Opfer, das der König gibt. Meresger, Gebieterin des Westens in ihrem großen Namen die Zauberreiche,Herrin des Palastes der großen Bergspitze der Nekropole von Theben (𓏏𓏤 𓊪𓏏), Gebieterin aller Länder, die große Göttin der Nekropole".

rechte Ausgangswand:

Der König, gefolgt vom Prinzen; sie stehen allein vor dem Durchgang zum letzten Raum des Grabes.

Dem König ist in der Halle, wie stets "Herr Beider Länder (   ) , Herr der Diademe (   ) " und auf der linken Seitenwand zusätzlich "der selig ist" beigeschrieben, über ihm ist, wenn der Raum ausreicht, die von den Uräen umschlossene Sonne gesetzt.

1) Abb. Nr. 9.

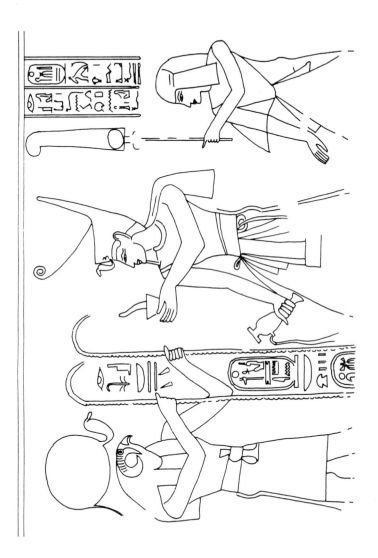

Abbildung Nr. 9

Der König und Prinz vor Re-Harachte in QV 43

1)

Seitlich des Durchgangs zum letzten
Raum ist in der Halle die große Ti-
tulatur des Königs in senkrechter
Schreibung angebracht.

Der Prinz ist stets

auch [hieroglyphs] geschrieben und vor Meresger steht
eine Hinzufügung von [hieroglyphs] vor der Kartusche des Königs.

Unterhalb der ḫkr-Borte läuft an den Wänden der Halle ein Schriftband mit
einem auf den Prinzen bezogenen umfangreichen Text, welcher durch die dicke
Rußschicht auf den Wänden zum Teil schlecht lesbar ist und dessen Übersetzung Probleme bietet:

[hieroglyphs]

1) Auf der rechten Seite durch [hieroglyphs] ersetzt.

[hieroglyphic text]

linke Ostseite:

> Preis dir göttliche Kuh des Westens, Gebieterin der Nekropole,
> (jmj-wr.t) und des Gottesschreins, die täglich Strahlende
> (wbḫ.t), Stätte der Rechtfertigung. Ich habe veranlaßt, daß
> mein Name bleibt in Abydos (?). Ich kenne seine Göttlichkeit,
> ich empfange die Speise (?) meines Vaters, des Gottes, ich fah-
> re über nach r3-pḳr. Ich bin beschützt durch die beiden Arme
> des Anubis vor der Götterneunheit, die in der Dat ist. Ich
> trage (?) die Opfergaben (in) Anch-tauj (Nekropole von Mem-
> phis). Ich bin ein Edler (s3ḫ) von Busiris. Osiris, Titel, Na-
> me, selig.

rechte Westseite:

> Preis dir du Herr des Westens, Osiris, Herrscher von jtf3-wr [1],
> Onnophris, König der Lebenden, du Gott von T3-mrj (Ägypten),
> du unversehrt Erwachender (rs-wḏ3) der die Schetit durchfährt,
> der die Herzen richtet im Leib der Herren des Jenseits (= der
> Toten). Weil Osiris und Isis jubeln (und) weil errichtet wird
> ein Thron für die geliebten Söhne, um seine Königsherrschaft
> zu vermehren und weil für sie bereitet wird ein Platz im ab-
> geschirmten Lande und weil(sie)veranlassen, ihren Zustand zu
> erforschen. Osiris, Titel, Name.

Der letzte kleine Raum

Die Laibungen im Durchgang zum Raum sind beidseitig mit einem nackten,
falkenköpfigen Gott, der aus dem Grab blickt, dekoriert. Eine Beischrift
fehlt. Seine Erscheinungsform entspricht der des Ḥr-m-nḥn aus dem Grab des
Chaemwese in dessen rechtem Seitenraum zum 1. Korridor.

Beide Seitenwände sind in ein oberes und unteres Register geteilt, letzte-

---

1) K.A. Kitchen liest *[hieroglyphic text]* , KRI V, S. 374.

res ist unterhalb der Köpfe der Gottheiten vollständig zerstört, jedoch scheinen die Beischriften des unteren Registers vollständig erhalten zu sein. Alle Gottheiten sind hockend dargestellt und halten das Zeichen ⸢𓊽⸣ vor sich. Vor ihnen steht jeweils ein Speisetisch (in den unteren Registern nur noch teilweise sichtbar). Sie blicken zum Grabeingang.

Zu den Horussöhnen des linken oberen Registers steht nur "geehrt bei" und der Name des Gottes, es folgen die Prinzentitel und der Name in unterschiedlicher Fassung. Sie sind tier- und menschenköpfig dargestellt, während die Horussöhne des rechten unteren Registers menschenköpfig dargestellt sind und vor ihrem Namen, dem Prinzentitel und -namen "Es spricht" gesetzt haben (bei Duamutef zusätzlich "geehrt bei").

Die Gottheiten des linken, unteren Registers sind:

"Es spricht (kuhköpfige Gestalt) [Hieroglyphen] ";

"Es spricht [Hieroglyphen] (schlangenköpfig)";

"Es spricht Isis/Neith, die Große, Gebieterin der Götter";

"Es spricht Selket, Gebieterin Beider Länder";

auch hier folgen wie im oberen rechten Register die Titel und der Name des Prinzen in unterschiedlicher Fassung.

Im rechten oberen Register sind es:

"Es spricht Thot, Herr der Gottesworte";

"Es spricht Re-Harachte, Herr der Nekropole ([Hieroglyphe])";

"Es spricht Isis, die Große, die Gottesmutter, Herrin des Himmels, Gebieterin beider Länder";

"Es spricht Nephthys, Herrin des Himmels, Gebieterin aller Götter".

Der Titel und der Name des Prinzen sind in den folgenden Fassungen vertreten [1] :

[Hieroglyphen] (Amset, l.o., r.u.; Hapi, r.u.; schlangenk. l.u.) [2]

[Hieroglyphen] (Hapi, li.ob.)

wie vor, Name: [Hieroglyphen] (Duamutef, li.ob.)

[Hieroglyphen] ( ) [Hieroglyphen] ( )

[Hieroglyphen] (Kebehsenuf, li.ob.)

1) Bei der kuhköpfigen Gestalt, li.u. und Selket, li.u. folgt weder Name noch Titel des Prinzen.
2) Zusätzlich steht dort "selig".

𓏤𓊅 ... (Isis, li.u.)

... (Thot, re.ob.)

... (Re-Harachte, re.ob.)

... (Isis, re.ob.)

... (Nephthys, re.ob.)

... (kein Name bei Duamutef, re.u.)

... (Kebeḥsenuf, re.u.)

Die Bezeichnung "ältester Königssohn" kommt nur im Zusammenhang mit Re-Harachte vor.

Die Rückwand des kleinen Raumes wird vollständig von der Darstellung des Rücken an Rücken auf seinem Thron sitzenden Osiris eingenommen. [1], über dessen Krone, die mit dem Uräus versehen ist, jeweils die den König im Grab ständig begleitende, von Uräen eingerahmte Sonnenscheibe schwebt. Zwischen der Doppelform des Osiris steht in senkrechter Schreibung: "König beider Ägypten, Osiris König, Herr Beider Länder (3) , Sohn des Re, Herr der Diademe (4) , der selig ist, Re-Harachte, Herr //// ", wahrscheinlich "geliebt von Re-Harachte, Herr ////".

Vor der Doppelform des Osiris steht jeweils ein Speisetisch, wie vor den anderen Gottheiten des Raumes. Über der Szene, die gesamte Breite des Raumes einnehmend, befindet sich die geflügelte Sonnenscheibe.

Vor Osiris steht jeweils:

links: "Es spricht Osiris, vor dem Palast von n^{c}r.t (...) [2],
der große Gott, Herr des Unabsehbaren, König der Lebenden" und

rechts: "Es spricht Osiris-Chontamenti, der große Gott von pḳr (...),
Herr von Rosetau, Herr des Unabsehbaren, Herrscher der Ewigkeit":

5. QV 42, Paraherwenemef

Das Grab liegt im südwestlichen Teil des Tals der Königinnen, wenige Meter vom Grab QV 43 des Sethhercherpeschef entfernt. Es wurde E. Schiaparelli [3]

1) S. Abb. Nr. 15.
2) Das letzte Zeichen ist nicht eindeutig zu identifizieren. Es wird sich wohl um Herakleopolis handeln, s.WB 2, S. 208.
3) E. Schiaparelli, Relazione I, S. 112 ff.

gesäubert und befand sich nach seinem Bericht bereits zu dieser Zeit in einem schlechten Zustand, der durch wiederholte Gewaltanwendungen und häufigere Benutzung der Grabräume als Wohnung hervorgerufen worden ist. Die Dekorationen sind teilweise zerstört und von Rauch geschwärzt. QV 42 weicht in seiner Bauform [1] vollständig von den vorbesprochenen Prinzengräbern ab. Dem breiteren Korridor (2.35 - 2.36m) folgt eine durch 4 Pfeiler getragene Sarkophaghalle, deren Decke drei, quer zur Grabachse verlaufende Wölbungen aufweist.

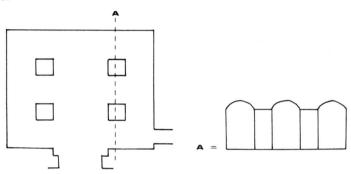

Abbildung Nr. 10
Deckenform der Sarkophaghalle im Grab QV 42

Die Pfeiler haben keine quadratische Grundfläche und differieren in ihren Maßen (Pfeilerseite Ab = 109 cm, Ac = 103 cm; Ba = 103 cm, Bb = 116 cm; Db = 113 cm, Dc = 139 cm; die Maße des Pfeilers C sind wegen des Umfangs der Zerstörung nicht feststellbar). Wenngleich die Korridorbreite mit 235 - 236 cm der Länge von 4,5 Königsellen entspricht, scheinen für das Grab nicht die königlichen Maße verwendet worden zu sein. Ein von E. Schiaparelli in situ zwischen den Pfeilern in einer Vertiefung vorgefundener Sarkophag aus rotem Granit war in mehrere Stücke zerschlagen, aber in Teilen fast vollständig vorhanden. Porter & Moss nennt den Sarkophag "usurped from a Queen" [2], J.F. Champollion [3]: ..., sur le couvercle tête de femme coiffée du vautour; mauvaises sculptures représèntant les quatre génies, et Osiris;il n'y à ni nom ni cartouche de la défunte." Der von der Sarkophaghalle abgehende Nebenraum ist in der Steinbearbeitung fertiggestellt,

1) Grundriß (P&M) s. Abb. Nr.11, Aufriß s. E. Thomas, Necropoleis, S. 215.
2) Porter & Moss I, Part 2, S. 753; heute im Turiner Museum, Sup. 5435.
3) J. F. Champollion, Not. Descr. I, S. 396.

jedoch,mit Ausnahme der Laibungen, unverputzt und nicht dekoriert belassen worden.

Erläuterungen zum Bildprogramm QV 42

Zueignungstexte des Königs (Z)
Außerhalb des Grabes, links vom Eingang, befindet sich eine teilzerstörte Zueignung des Königs in senkrechter Schreibung. Aus den Spuren ist zu rekonstruieren, daß der Text mit "Gegeben durch die Gunst des Königs" begann und die Kartuschen des Königs sowie wahrscheinlich den Titel und Namen des Prinzen enthielt.

Der 1. Korridor
Wie das ganze Grab ist der 1. Korridor teilweise zerstört. Ob es die Göttin Maat war, die beide Eingangslaibungen schmückte, ist nicht mehr eindeutig festzustellen. Auf beiden Seiten scheinen jeweils zwei übereinander angeordnete Göttinnen auf dem Zeichen ⏝ , darunter die ägyptischen Wappenpflanzen, dekoriert gewesen zu sein.

Im ersten Korridor sind die Götter der ersten beiden Szenen zu Beginn der rechten Seitenwand vollständig zerstört, so daß eine paarweise Gegenüberstellung, wie in den anderen Prinzengräbern, nicht möglich ist. Die Beischriften der sichtbaren Götter sind nur fragmentisch erhalten; von ihren Epitheta ist folgendes noch zu erkennen:

"Ptah, der Große, der südlich seiner Mauer ist, Herr von Anch-tauj (Memphis)".

"Meresger (schlangenköpfig) //// Gebieterin des Westens ////".

"Thot, Herr der Gottesworte, Herrscher ////".

"Atum, //// [Herr] Beider Länder und Heliopolis".

Der letzte Gott auf der linken Seitenwand, wird von E. Schiaparelli [1] Anubis, von J. F. Champollion [2] Osiris genannt. Von dem Gott ist der gelbe Schurz, ein Teil der roten Hautfarbe und das Uas-Szepter erhalten. Von der Beischrift ist noch ⟨Zeichen⟩ (Rosetau) geblieben, so daß hier Anubis vermutet werden kann.

Dem König sind stets seine Kartuschen beigeschrieben und teilweise "Herr Beider Länder, Herr der Diademe,selig" oder "der selig ist". Über ihm ist die von Uräen flankierte Sonnenscheibe teilweise mit der Beischrift bḥd.t angebracht. Seine erweiterte Titulatur mit dem Osiristitel wird nach dem

1) E. Schiaparelli, Relazione I, S. 121.
2) J. F. Champollion, Not. Descr. I, S. 395.

Schematische Darstellung des Bildprogramms, Paraherwenemef, QV 42

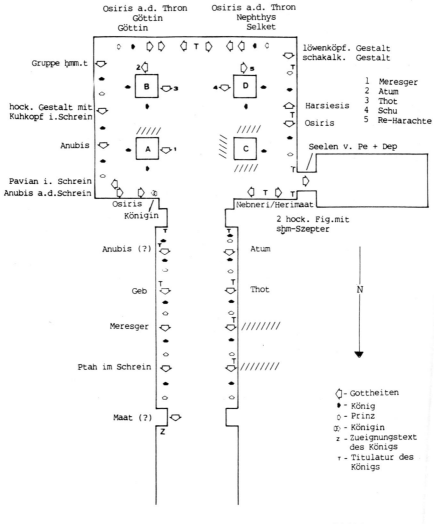

Abbildung Nr. 11

Prinzen in senkrechter Schreibung "König beider Ägypten, Osiris König, Herr
Beider Länder (〉 , Sohn des Re, Herr der Diademe (〉 [1], der selig
ist" an den bezeichneten Stellen (T) wiederholt. Möglicherweise wurde nach
der Titulatur noch der Name des Gottes eingesetzt, vor dem er geopfert oder
den er angebetet hat, so noch bei Thot und Atum zu erkennen.

Die gleiche erweiterte Titulatur des Königs ist im 1. Korridor vor dem
Durchgang zur Halle beidseitig angebracht. [2] Von den Beischriften zum
Prinzen ist nur eine vollständig erhalten:

Nach den restlichen Spuren scheinen alle Beischriften fast gleich gewesen
zu sein, bis auf die Szene vor Ptah im Schrein; jedoch sind die Zeichen
nicht ausreichend, um den offensichtlich abweichenden Beginn des Titels zu
bestimmen. Die von J. F. Champollion [4] für den 1. Korridor angegebene
Textvariante   konnte ich nicht mehr auffinden.

Die Sarkophaghalle

Die Laibungen des Durchgangs zur Sarkophaghalle sind mit teilweise stark
zerstörten Texten in jeweils 3 Kolumnen bedeckt. Die kaum zu rekonstruie-
renden Texte beginnen beidseitig mit "njnj-machen" und enden mit der Königstitulatur und den Kartuschen Ramses III. [5]

Zu Beginn der linken Eingangswand findet sich die Szene einer Königin, ohne
Namensbeischrift, die vor Osiris opfert. Die Szene wird von der folgenden
Szene (Pavian oberes Register, Anubis auf dem Schrein unteres Register)
durch eine senkrechte Linie getrennt. Die hkr-Borte über den Darstellungen
ist links in Malerei, rechts in Relief ausgeführt, wie die an das Königin/
Osiris-Bild anschließenden Szenen rechts zum Teil in Malerei und teilweise
reliefiert ausgearbeitet sind. Es handelt sich bei den gemalten Bildteilen
zu Beginn der linken Eingangswand eindeutig um eine nachträglich vorgenommene Arbeit, die offensichtlich auf eine, durch den schlechten Felsunter-
grund eingetretene Abtreibung des Putzes mit der Zerstörung der ursprünglichen Dekoration zurückzuführen ist. Auch die antike Wiederherstellung

1) Nach den nur teilweise erhaltenen Beischriften zum König variiert im
   Grab die Schreibung der Königsnamen von Form 1 u. 2, zu 3 u. 4; gleiches
   gilt für die senkrechten Textzeilen.
2) Nach "der selig ist" sind noch Spuren von Osiris zu erkennen, vermutlich
   wurde der Text mit "geliebt von Osiris" fortgesetzt.
3) Beischriften zum König und Prinzen, s.a. KRI V, S. 367 f.
4) J. F. Champollion, Not. Descr. I, S. 395.
5) Spuren zeigen die Schreibform 2.

dieses Wandteils, nunmehr in Malerei, hat die Abtreibung nicht dauerhaft beseitigen können. Ein großer Riß hat Teile der neuen und vielleicht auch der alten Dekoration zerstört, wobei die neugearbeiteten Flächen gegenüber dem Fels bereits wieder vorgewölbt sind. Innerhalb des Risses ist die schlechte Steinqualität gut zu erkennen. Im Bereich der hkr-Borte, hier sind im schräg nach oben verlaufenden Riß keine Dekorationsteile herausgefallen, ist deutlich zu sehen, wie die rechts im Relief ausgeführten Zeichen der hkr-Borte mit der links anschließenden Farbe der gemalten Zeichen überschmiert worden sind. Ein Beweis dafür, daß die gemalten Szenen zu Beginn der linken Eingangswand, also auch die Königin vor Osiris, eine spätere "Reparatur" der Wand sind. Eindeutig ist ferner, daß die Szene mit dem gemalten Pavian (hiervon ist heute nur das Unterteil der hockenden Figur erhalten) nicht genau dem ursprünglichen, reliefierten Bild entsprochen haben kann, denn im nicht restaurierten Teil ist noch ein Messer erhalten, welches zur Haltung des gemalten Pavians nicht paßt. Die beiden im ursprünglichen Teil reliefierten Zeichen 𓏞𓏲 sind sicher in [𓏲𓏲] 𓏞𓏲 zu ergänzen. Der zum Raumeingang gewendete Anubis auf dem Schrein ist im restaurierten, gemalten Teil als unteres Register unter dem Pavian angeordnet und trägt keine Beischrift.

Durch die obigen Feststellungen ist es nicht möglich, die Szene der Königin vor Osiris als ursprüngliches Dekorationsteil für den Prinzen Paraherwenemef anzusehen. Obgleich nicht beweisbar, ist zu vermuten, daß das Grab des Prinzen nach seiner Fertigstellung für das Begräbnis einer uns unbekannten Königin verwendet wurde. Hierfür spricht auch, daß der in situ gefundene Sarkophag zwischen den Pfeilern für eine Frau vorgesehen gewesen ist. Es wäre dann verständlich, wenn das zerstört vorgefundene Wandstück ausgebessert und mit dem Bild der hier bestatteten neuen Grabinhaberin vor Osiris ausgestattet wurde. Das Bild hat dann wahrscheinlich Anubis auf dem Schrein und darunter den Löwen auf dem Schrein, die stets zu der Szene Nebneri/Herimaat auf der rechten Eingangswand ein Pendant bilden, verdrängt. Nur Anubis auf dem Schrein ist unter dem Pavian in Malerei erneut angebracht worden, jedoch sicher nicht an der ursprünglichen Stelle und der zu erwartende Löwe auf dem Schrein fehlt nunmehr aus Platzmangel.

Die rechte Eingangswand wird von zwei Szenen eingenommen:

Nebneri und Herimaat, zum Eingang blickend.

Zwei fast vollständig zerstörte, hockende Figuren mit Messern, ober-

halb des Knies der Ersteren das s̲h̲m-Szepter. [1]Zwischen beiden Szenen
befindet sich die Titulatur des Königs (mit dem Titel "Osiris König")
in senkrechter Schreibung.

Auf der linken Seitenwand befinden sich drei Szenen:

Der König und der Prinz vor Anubis, von dessen Beischrift nur das Zeichen ᙈ erhalten ist.

Der König vor einer kuhköpfigen, mit 2 Messern bewaffneten, hockenden
Gestalt im Schrein. [2]

Der König und der Prinz vor der Gruppe h̲mm.t. [3]

An der rechten Seitenwand ist der Durchgang zum Nebenraum von der erwei-
terten Titulatur des Königs (mit dem Titel "Osiris König") flankiert.Die
Wände des Nebenraums sind für den Putz vorbereitet, nur die Laibungen sind
verputzt und mit den Seelen von Pe und Dep, ohne Inschrift, die in (!) den
Nebenraum blicken ausgestattet.

Es folgen zwei Szenen:

Mitte der Westwand, die Doppeldarstellung zweier Götter,vor denen links
und rechts der König, gefolgt vom Prinzen, stehen. [4] Rücken an Rücken
stehen Horus-Sohn-der-Isis (links) und Osiris (rechts), beide in mumi-
enförmiger Gestalt mit Szepter und Geißel ausgestattet; Osiris trägt
den Uräus an der weißen Krone. Zwischen ihnen in senkrechter Schreibung:" König beider Ägypten, Osiris König, Herr Beider Länder ( ) ,
Sohn des Re, Herr der Diademe ( ) , der selig ist, geliebt von Osiris, Herr von Busiris, Herrscher der Ewigkeit."

Ende der Westwand, getrennt von der vorherigen Szene durch die erweiterte Titulatur des Königs in senkrechter Schreibung, befindet sich ein
Schrein mit einem löwenköpfigen, stehenden Gott mit einem Messer und
einem hockenden schakalköpfigen Gott mit 2 Messern, ohne Beischriften.

Die Rückwand ist im Mittelteil mit der Darstellung der Doppelform des Osiris stark zerstört. [5] Von der Textzeile, die zwischen den Rücken an Rücken
auf dem Thron sitzenden Osirisfiguren senkrecht lief, ist nur noch der
Schluß 𓏥𓈖𓏏 erhalten, der jedoch beweist, daß, wie in den anderen Prinzengräbern, hier die Titulatur des Königs gestanden hat, die mit "geliebt
von Osiris" endete.

1) S. Abb. Nr. 27.
2) S. Abb. Nr. 28.
3) S. Abb. Nr. 25.
4) S. Abb. Nr. 18.
5) S. Abb. Nr. 16.

Von den beiden Göttinnen der linken Seite sind nur die Unterkörper verblieben, es ist anzunehmen, daß es sich um Isis und Neith gehandelt haben wird. Von den beiden Göttinnen der rechten Seite, Nephthys und Selket, bietet die Erstere Osiris zwei Stäbe mit den Kronen Ägyptens geschmückte Uräen dar. Die um die Sarkophaghalle umlaufende hkr-Borte ist über der Doppelform des Osiris mit einem Fries unterbrochen worden, der die von Uräen flankierten Kartuschen des Königs zeigt.

Die Beischrift zum König ist in der Sarkophaghalle, wie im 1. Korridor stets "Herr Beider Länder (   ) , Herr der Diademe (   ), [1] der selig ist" und über ihm war zumeist die von Uräen flankierte Sonnenscheibe wiedergegeben. Die zusätzlichen Königstitulaturen (T) lauteten: "König beider Ägypten, Osiris König, Herr Beider Länder (   ) , Sohn des Re, Herr der Diademe (   ) [1], der selig ist", wahrscheinlich war auch an den heute zerstörten Stellen hinzugefügt "geliebt von" und der Name des Gottes.

Die Beischriften zum Prinzen variieren, sie entsprechen zum Teil der Form des 1. Korridors, zum Teil ist am Textbeginn vorgesetzt   , zum Teil ist bei dieser Form die zweite Kartusche des Königs [2] fortgelassen worden. Die 4 Pfeiler des Raumes sind zum Teil sehr zerstört,jedoch scheint sicher, daß der Prinz auf ihnen weder abgebildet noch erwähnt wird. Der König wird, entsprechend dem Dekorationsschema, jeweils einer Gottheit gegenübergestanden haben, die auf der nächsten Pfeilerseite in seiner Blickrichtung abgebildet gewesen ist. [3]

6. KV 3, Grabinhaber unbekannt

Bereits E.F. Wente [4] hat darauf hingewiesen, daß KV 3 ein Prinzengrab aus der Zeit Ramses III. sein muß. Es ist das erste Grab, welches in dem kleinen linken Seitental, kurz vor dem heutigen Tor zum Tal, liegt. Es wurde als Wohnung für Einsiedler, koptische Kapelle und als Stallung benutzt. [5] Der schlechte Erhaltungszustand ist u.a. hierauf zurückzuführen. Die in der Grabachse liegenden Räume habe ich vermessen und die Maße in dem Grundriß

---

1) Die Schreibform des Königsnamens variiert von Form 1 u.2, z.B. für die Szene Osiris/Harsiesis, den Kartuschenfries an der Rückwand zu Form 3 u. 4, z.B. vor Anubis, der Gruppe hmm.t, den Pfeilern.
2) Vor Anubis ist die Kartusche der Form 4 im Prinzentitel vorhanden.
3) P&M I, Part 2, S. 753 gibt für die Pfeilerseite Ac [Re-Harachte] an, der Gott ist heute nicht mehr zu identifizieren.
4) E. F. Wente, JNES 32 (1973), S. 223 - 234.
5) E. Thomas, Necropoleis, S. 150.

verwendet. [1] Für die nicht regelmäßig gearbeiteten Pfeiler sind überwiegend Seitenlängen von 105 cm = 2 Königsellen festzustellen, während sich die Raumabmessungen nicht mit den königlichen Maßen decken. Bemerkenswert ist, daß der Durchgang zwischen dem 3. und 4.Raum ebenfalls 105 cm beträgt. Demnach ist nicht auszuschließen, daß der ersten Vierpfeilerhalle ein Raum mit 2 Pfeilern folgen sollte. [2] Die Breite des 1. Korridors beträgt 273 cm, die Höhe 309 cm, demnach ein alle vorher behandelten Prinzengräber übersteigendes Maß.

Wie die Wahl des Grabes im Tal des Könige und die Abmessungen der Räume belegen (Gesamtlänge der Anlage etwa 31 m), muß es sich bei diesem Prinzen um einen Mann besonderer Bedeutung gehandelt haben. Dieser Auffassung von E. F. Wente ist sicher zu folgen. Um so mehr ist zu bedauern, daß die verbliebenen Reste der Inschriften keinen Hinweis auf den Namen des Prinzen geben. In der Bauform ist es kein Königsgrab, auch wenn es in der Raumfolge vielleicht nicht fertiggestellt worden ist, wäre ein Eingangskorridor und dann eine Pfeilerhalle für ein Königsgrab nicht denkbar. Vermutlich ist es am spätesten von den uns bekannten Prinzengräbern begonnen worden. Hierfür gibt es, außer dem geringen Fertigstellungsgrad des Bildprogramms, einen Hinweis durch das von E. Endesfelder [3] veröffentlichte und von E.F.Wente[4] besprochene Ostrakon P.10663, welches offensichtlich über den Beginn eines Prinzengrabes aus dem 28. Regierungsjahr Ramses III. berichtet.

Erläuterungen zum Bildprogramm KV 3
Die Dekorationen des Grabes sind fast vollständig zerstört. Reste von Szenen und Spuren von Texten sind nur außen am Eingang und im 1. Korridor zu finden.

Zueignungstext des Königs (Z)
Im 1. Korridor ist rechts vom Durchgang zum Pfeilersaal noch [Glyphen] zu erkennen; mit Sicherheit der Beginn des üblichen Zueignungstextes des Königs. Von den senkrechten Schriftleisten links und rechts außen am Eingang des Grabes sind Spuren vorhanden, sie reichen zu einer Textidentifizierung nicht aus. Außen über dem Eingang und über dem Durchgang zum Pfeilersaal

1) Grundriß s. Abb. Nr. 12, Aufriß bei E. Thomas, Necropoleis, S. 120, bei der Bearbeitung des Grabes haben mir freundlicherweise Frau Lotty Spycher und Studenten der Universität Basel geholfen.
2) Es ist zu beobachten, daß die Ägypter Wandteile stehen ließen und erst später hiervon die Pfeiler abtrennten.
3) E. Endesfelder,Forschungen u.Berichte (Museum Ostberlin)8 (1967),S.65 f.
4) E. F. Wente. JNES 32 (1973) S. 223 ff.

Schematische Darstellung des Bildprogramms, Grabinhaber unbekannt, KV 3

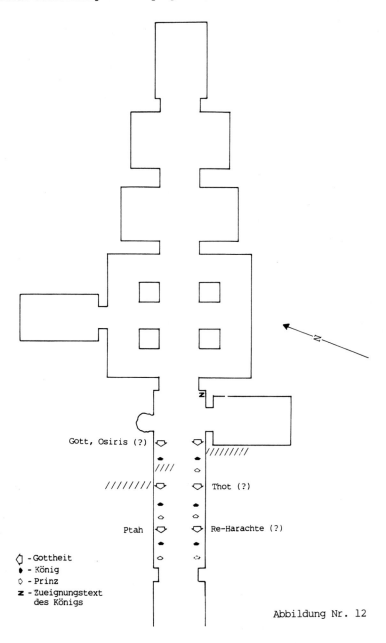

Gott, Osiris (?)

////

////////

Ptah

Thot (?)

Re-Harachte (?)

◊ - Gottheit
♦ - König
◊ - Prinz
z - Zueignungstext
   des Königs

Abbildung Nr. 12

sind die Reste der geflügelten Sonne zu erkennen, die stets den Eingang und die Stürze der Raumdurchgänge in den Prinzengräbern schmücken.

Der 1. Korridor

Beide Seitenwände tragen unterhalb der Decke einen fortlaufenden Fries mit den von Uräusschlangen umschlossenen Kartuschen Ramses III. [1] Die Schreibrichtung läuft zum Grabeingang.

Linke Seitenwand:

Außer der Stellung der Füße und teilweise der Unterkörper ist die blaue Kappe des ⌈Ptah⌉ , ein vom ⌈Prinzen⌉ getragener Wedel und ein Teil der unterägyptischen Krone des ⌈Königs⌉ zu identifizieren. Nach der Beinstellung (mumienförmig) ist für den Gott der 3. Szene Osiris anzunehmen.

Rechte Seitenwand:

Die Sonnenscheibe des ⌈Re-Harachte⌉ , ein Teil der von Uräen umschlossenen Sonnenscheibe über dem ⌈König⌉ und Scheibe mit Sichel als Kopfschmuck des ⌈Thot⌉ sind noch zu sehen.

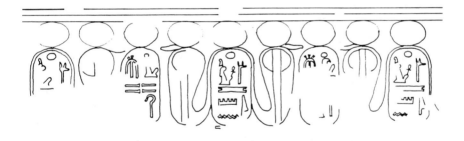

Abbildung Nr. 13
Kartuschenfries des Grabes KV 3 [2]

---

1) Abb. Nr. 13.
2) S. KRI V, S. 337.

II. K Ö N I G, P R I N Z U N D G O T T H E I T E N

1. Ramses III. in den Gräbern seiner Söhne

Ramses III. wird in allen Prinzengräbern mit der von Uräen umschlossenen Sonne, häufig unter ihr mit dem Zusatz bḥd.t, dargestellt. Sie
fehlt dann, wenn nicht ausreichend Raum, z.B. durch die von ihm getragenen hohen Kronen vorhanden ist. Seine Beischrift lautet stets [1]:
"Herr Beider Länder ( ) , Herr der Diademe ( ) , selig" oder "der
selig ist". Die Kleidung und Kronen variieren ständig, ohne daß ein
System zu erkennen ist. Damit entspricht die Wiedergabe des Königs in
den Prinzengräbern seiner Erscheinungsform in seinem eigenen Königsgrab (KV 11).

Zumeist folgt dem König der prinzliche Grabinhaber, sein Sohn, dieser
in geringerer Größe dargestellt und einen Wedel tragend. Der König wird
in folgenden Fällen ohne den Prinzen abgebildet:
a) In der Sarkophaghalle des Chaemwese und auf den Pfeilerseiten der
   Sarkophaghalle des Paraherwenemef.
b) In der 1. Szene des 1. Korridors von Chaemwese und des 1. Raumes des
   Amun(her)chepeschef.
c) An den Seitenwänden, die von einem Durchgang durchbrochen werden:
   Chaemwese, 1. Korridor, links, vor Re-Harachte,
   Amun(her)chepeschef, 1. Raum, rechts vor Kebehsenuf und vor Hapi,
        2. Raum, rechts, vor der 6. Pforte,
   Sethherchepeschef, Sark.-Halle, vor dem Durchgang zum Nebenraum.
   Die genannten Einzeldarstellungen des Königs könnten mit Raummangel
   erklärt werden, jedoch hat das Beispiel der Einzelstellung des Königs und des Prinzen vor und nach der 6. Pforte im Grab des Amun-
   (her)chepeschef gezeigt, daß die Einzelstellung nicht allein durch
   die Verkürzung der Wand durch einen Durchgang veranlaßt ist. [2]
d) Mit Raummangel ist die Einzelstellung des Königs im Grabe des Paraherwenemef nicht zu erklären, d.i. im 1. Korridor: links steht der
   König allein, rechts mit dem Prinzen zusammen vor dem Durchgang zur
   Sarkophaghalle.

Wenn der König allein oder mit dem Prinzen vor den Gottheiten oder den
Pforten TB 145 A steht, wird nur er von den Gottheiten angesprochen

---

1) Varianten: selten ohne m3^c-ḥrw oder pw m3^c-ḥrw; Ausnahmen: nur die Kartuschen.
2) Siehe Abschnitt I.

oder er spricht die Gottheiten an [1], der Prinz scheint hieran unbeteiligt zu sein.

Die Funktion des Königs in den Gräbern seiner Söhne wird nur dann verständlich, wenn erkannt wird, daß der König in den Prinzengräbern auch als vergöttlichter Herrscher der Unterwelt, d.h. wesensgleich mit Osiris und in der Gottesform des Osris erscheint. Dieses ist eindeutig in den Gräbern des Chaemwese, Sethherchepeschef und Paraherwenemef zu belegen [2]:

QV 44, Chaemwese

Im dritten und letzten Raum des Grabes, der Sarkophaghalle, ist auf der Rückwand der Rücken an Rücken auf seinem Thron sitzende Osiris abgebildet.[3] Links stehen vor ihm Neith und Isis, rechts Nephthys und Selket. Anschließend, jedoch bereits auf den Seitenwänden, steht der König und vor ihm jeweils in senkrechter Schreibung seine Titulatur. Diese Titulatur ist ebenfalls zwischen die beiden Rücken an Rücken sitzenden Osirisfiguren geschrieben. Zu den Osirisdarstellungen sind demnach 3 Beischriften gegeben: jeweils eine vor Osiris, mit seinem Namen und seinen Epitheta und die des Königs, welche durch ihre Größe die Doppelszene textlich beherrscht. Allein hieraus ist die Identifizierung des Königs mit Osiris nicht abzuleiten. Die gleichartige Wiedergabe der Szene des Rücken an Rücken auf seinem Thron sitzenden Osiris in den beiden Nebenräumen zum 1. Korridor zeigt jedoch die Bedeutung der Schriftleiste mit der Königstitulatur zwischen den Figuren auf. Sie befinden sich ebenfalls auf der Rückwand der beiden Räume und gleichermaßen sind jeweils 3 Beischriften der Doppelform des Osiris beigegeben.

Im rechten westlichen Raum, den der Prinz allein betritt [4] lautet die Schriftleiste zwischen den beiden Osirisfiguren:
"Es spricht Ptah-Sokar-Osiris-Chontamenti, inmitten der Schetit", im linken, östlichen Raum dagegen:
"König beider Ägypten, Osiris König, Herr Beider Länder (　) , Sohn des Re, Herr der Diademe (　) , der selig ist, geliebt von Meresger, Gebieterin des Westens."

1) In der Erläuterung zum Bildprogramm sind die Zueignungssprüche der Götter nur dann mit aufgeführt, wenn sie für die Deutung der Szenen von Belang sind.
2) Die Gräber KV 3 und QV 55 sind nicht vollendet, QV 53 ist fast vollständig zerstört.
3) Abb. Nr. 14.
4) Abb. Nr. 2.

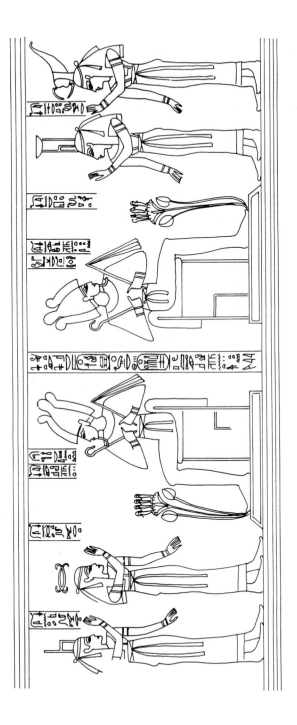

Abbildung Nr. 14

Doppelform des Osiris in QV 44

Die Beischrift, die unmittelbar vor der jeweiligen Osirisfigur steht, nennt ihn stets "Osiris" mit einem Epitheton. In den beiden kleinen Seitenräumen, in denen der Prinz allein vor die Gottheiten tritt, wird demnach die Wesensform der auf dem Thron sitzenden Osirisfiguren deutlich unterschieden. Ist es im rechten Raum Osiris, gleichzeitig in der Wesensform des Ptah-Sokar-Osiris, ist es im linken Raum Osiris auch in der Wesensform des Königs.

Der König erscheint somit im linken Nebenraum zum 1. Korridor und im "Schlußbild" der Sarkophaghalle in der Osiris-Gestalt, er geht in Osiris und dessen Bild ein. Eine gleichartige Identifizierung des Königs ist in den nachfolgend besprochenen Gräbern abzulesen, obgleich andere bildhafte Lösungen gewählt worden sind, um die Göttlichkeit des Königs als Osiris König und Herrscher der Unterwelt auszuweisen.

QV 43, Sethherchepeschef
An der Rückwand des vierten und letzten Raumes des Grabes ist, wie im Grab des Chaemwese, das "Schlußbild" mit dem Rücken an Rücken auf dem Thron sitzenden Osiris dargestellt. [1] Wiederum gibt es 3 Beischriften zu der Doppelform des Osiris, jeweils eine vor Osiris, mit einer Anzahl seiner Epitheta und die senkrechte Textleiste zwischen den beiden Osirisfiguren: "König beider Ägypten, Osiris König, Herr Beider Länder ( ) , Sohn des Re, Herr Diademe ( ) , der selig ist, Re- Harachte, Herr ////," wahrscheinlich "geliebt von Re-Harachte, Herr //// " zu lesen.

Nicht nur die Königsbeischrift zwischen den beiden Osirisfiguren weist auf die Identität des Königs mit Osiris hin, vielmehr ist beidseitig über Osiris, so daß es fast die Königsinschrift berührt, die von Uräen flankierte Sonne von bḥd.t angebracht, welche in den Prinzengräbern nur dem König zugehörig ist.

QV 42, Paraherwenemef
Die gleiche Szene mit dem auf seinem Thron Rücken an Rücken sitzenden Osiris ist ebenfalls das "Schlußbild" im Grab des Paraherwenemef an der Rückwand der Sarkophaghalle [2]. Die Rückwand ist sehr zerstört; die oberen Teile der figürlichen Darstellungen und die Namenstexte sind fast vollständig verloren gegangen. Die verbliebenen Textfragmente reichen aus, um

1) Abb. 15.
2) Abb. Nr. 16.

Abbildung Nr. 15
Doppelform des Osiris in QV 43, Sethherchepeschef [1]

festzustellen, daß es für die Doppelform des Osiris ebenfalls 3 Beischriften gegeben haben muß. Die unmittelbare Beischrift zum links sitzenden
Osiris ist völlig zerstört, zur rechten Figur ist noch 𓏏𓐍 𓊪𓇳 erhalten,
und von der Königsinschrift zwischen den beiden sitzenden Osirisfiguren
ist noch der Schluß: 𓏏𓊪 𓂝𓏏 , sicher "geliebt von Osiris", zu lesen.

Im Grab des Paraherwenemef ist die Göttlichkeit des Königs in der Erscheinungsform des Osiris, außer seiner Titulatur zwischen der Doppelform des

---

1) Die Zuordnung des Uräus an der Stirn von Götterdarstellungen scheint
uneinheitlich zu sein. So sind z.B. bei den unzerstörten Gottheiten der
Prinzengräber Geb, Isis, Ptah, Ptah-Tatenen, Ptah-Sokar-Osiris und Osiris teilweise mit dem Uräus ausgestattet worden.

Abbildung Nr.16

Doppelform des Osiris in QV 42

Osiris, durch seine Kartuschen über der Szene betont. Die im Raum als Abschluß zur Decke laufende ḫkr-Borte wird über der Szene durch einen Fries
mit Uräen umrahmten Kartuschen des Königs unterbrochen und zeigt seine Vergöttlichung an.

Das Bild des Königs vor der Doppelform des Osiris ist von der Rückwand des
1. Pfeilersaales der Königsgräber seit Merneptah [1] bekannt und auch an
gleicher Stelle im Grab Ramses III. vorhanden [2]. Es ist dort eine Umgestaltung der Gerichtsszene des Osiris aus dem Pfortenbuch für die königliche Grabanlage. Mit dieser Szene werden im Königsgrab dem toten König die
Insignien des Osiris übergeben und er nimmt dessen Erscheinungsform an. In

Abbildung Nr. 17
Osirishalle des 1. Pfeilersaals, KV 11, Ramses III.

1) Die Bildform des Rücken an Rücken stehenden Osiris wurde von Merneptah
   in seinem Grab erstmalig verwendet. Es ist eine Umgestaltung der seit
   Sethos I. wiedergegebenen Wandlung des Königs zu Osiris, dieser dort auf
   seinem Thron sitzend.
2) Abb. Nr. 17.

den Darstellungen ist demnach das Bild des Osiris gleichzeitig auch das
Bild des toten Königs, d.h. in diesen Szenen hat der König die Erschei-
nungsform des Osiris angenommen,obgleich er selbst in seiner königlichen
Gestalt vor der Doppelform des Osiris steht. [1]

Es konnte gleichzeitig nachgewiesen werden, daß bereits im Grab des Merneptah eine Bild- und Textverkürzung vorgenommen wurde, d.h. nur noch an
einigen Merkmalen ist die Metamorphose des Königs abzulesen. Zur Zeit Ramses III. wurde diese wichtige Szene in den Königsgräbern schon etwa 125
Jahre an der gleichen Stelle der Rückwand des 1. Pfeilersaals, d.i. das
"Schlußbild" des oberen Grabbereiches, verwendet. Es handelt sich somit
bei den vorbesprochenen "Schlußbildern" der Prinzengräber um eine Übertragung aus den Königsgräbern, umgewandelt für die besonderen Erfordernisse
des Prinzengrabes.

Von den vielen Zueignungstexten des Königs in den Prinzengräbern ist in
keinem der Osiristitel des Königs vorhanden; die Gräber wurden zu Lebzeiten Ramses III. geplant und gebaut. Der Grabbau wurde ebenfalls, wie später behandelt wird, zu Lebzeiten des jeweiligen Prinzen ausgeführt, wie es
in Ägypten für die Lebenden üblich war. Bei der Gestaltung des Grabes wurde offensichtlich davon ausgegangen, daß der um eine Generation ältere König seine Söhne nicht überleben würde, d.h. er wurde auch so dargestellt
wie in seinem eigenen Grab, als Osiris König und Herrscher der Unterwelt,
in der Erscheinungsform des Osiris.

Ramses III. wurde deshalb in den Prinzengräbern, wie in seinem eigenen
Grab, in zwei Erscheinungsformen dargestellt, als König, hier gefolgt vom
Prinzen und als Gott Osiris, vor den er und sein Sohn treten. Die beiden
Erscheinungsformen des Königs sind auch aus seinen Titulaturen in den Prin-
zengräbern abzulesen. In den Darstellungen der Königsfigur gibt es keinen
Osiristitel, jedoch alle Titulaturen des Königs, die in senkrechter Schrei-
bung hinter dem Prinzen stehen, führen ohne Ausnahme den Osiristitel des
Königs. Der Osiristitel wird auch von den Göttern verwendet, wenn sie ihn
unmittelbar ansprechen, so z.B. Amset im Grab des Amun(her)chepeschef (1.
Raum): "Es spricht: geehrt von Amset (zu) Osiris König, Herr Beider Länder
( ) , der selig ist".

In der Sarkophaghalle des Paraherwenemef findet sich eine, mit dem "Schlußbild" der Prinzengräber vergleichbare Szene. In der Mitte der rechten,

1) F. Abitz, König und Gott, S. 7 - 22.

westlichen Seitenwand stehen links Harsiesis und rechts Osiris Rücken an Rücken [1] und jeweils vor ihnen der König, gefolgt vom Prinzen. Beide Götter sind in Mumiengestalt mit Szepter und Geissel dargestellt. Für die zwei Götterfiguren sind wiederum 3 Beischriften vorhanden, jeweils eine für Harsiesis und Osiris und eine dritte, senkrechte Textleiste zwischen den beiden Göttern: "König beider Ägypten, Osiris König, Herr Beider Länder (   ), Sohn des Re, Herr der Diademe (   ), der selig ist, geliebt von Osiris, Herr von Busiris, Herrscher der Ewigkeit".

Abbildung Nr. 18
Harsiesis/Osiris im Grab QV 42

1) Abb. Nr. 18

Die Gestaltung der auf den König bezogenen Szene erinnert an die Vergöttlichung des toten Herrschers in den Königsgräbern im Biban-el-Moluk. In den
Gräbern von Haremhab und Sethos I. hat Horus-Sohn-der-Isis die Stellung des
königlichen Ka's im Schachtraum eingenommen. [1] Der König tritt hier in
seinem Grab als Harsiesis vor seine Eltern Isis und Osiris. Die vergöttlichte Erscheinungsform des Osiris nimmt er im folgenden Raum an der Rückwand des 1. Pfeilersaales an. Das Bild im Grab des Paraherwenemef zeigt
beide Götter, Harsiesis und Osiris, in gleicher Haltung mit der Titulatur
und dem Namen Ramses III. zwischen ihnen. Die Szene scheint somit beide
Identifizierungen des toten Herrschers aus den Königsgräbern zu enthalten.
In dem folgenden Abschnitt II/2 über die Stellung des Prinzen wird deutlich, daß der Prinz mit den Horussöhnen verglichen wird. In dem obigen Dop-
pelbild erscheint demnach sein Vater Horus-Sohn-der-Isis und Osiris, mit
denen gleichzeitig der leibliche Vater des Prinzen, der König, identifiziert wird. [2]

Einen weiteren Beleg für die Göttlichkeit des Königs in den Prinzengräbern
scheinen die 5. und 6. Pforte TB 145 A im Grab des Amun(her)chepeschef zu
liefern. Die Tore der beiden Pforten sind beidseitig mit der großen Titulatur des Königs versehen [3] und zeigen, daß die Pforten der Unterwelt dem
König zugehörig sind, d.h. wohl ihm ebenso unterstehen, wie Osiris selbst,
mit dem der König in den Prinzengräbern so häufig identifiziert wird.

Neben den Zueignungstexten des Königs sind seitlich der Türdurchgänge in
den Prinzengräbern ebenso die Titulaturen des Königs so wechselnd angebracht, daß vermutet werden kann, der unterschiedliche Einsatz der Inschriften könnte mit der Bestimmung des Raumes in Zusammenhang stehen. Ein
Teil der Inschriften ist zerstört und eine Anzahl von Räumen, die den Inschriften folgen, sind nicht dekoriert worden. Es ist deshalb nicht möglich, für den Wechsel von Zueignungs- und Titulaturinschriften vor den Räumen eine belegbare Erkenntnis vorzulegen.

Die in den Prinzengräbern so häufig das "selig" nachdrücklich betonende

1) F. Abitz, König und Gott, S. 173 ff.
2) An der gleichen Stelle der Sarkophaghalle des Sethherchepeschef ist der
   König, gefolgt vom Prinzen, vor Re-Harachte opfernd dargestellt. Ob das
   Fehlen jeglicher Beischrift zu Re-Harachte und der Osiristitel des Königs zwischen den beiden Palmenblattrippen des Gottes ebenfalls als eine
   Identifizierung des Königs mit Re-Harachte zu verstehen ist, scheint
   möglich. Für die Beschreibung s. I/4 und Abb. Nr. 9.
3) Texte s. I/2, S. 24.

pw m3^c-ḥrw ist in dieser massierten Verwendungsweise vorher nicht bekannt.
In dem Grab Ramses III. kommt es in dem oberen unzerstörten Grabbereich
nicht vor. Ob es im unteren Grabbereich wiederholt verwendet worden ist,
kann wegen der weitgehenden Zerstörung der Wände nicht mehr festgestellt
werden. E. Lefébure [1] hat in seiner Abschrift eines heute zerstörten Textes an der Stirnseite der hinteren linken Kolonnade der Sarkophaghalle die
Form pw m3^c-ḥrw noch festgehalten. Eine Regel, warum jeweils anstelle von
"selig" so häufig in den Prinzengräbern "der selig ist" verwendet wurde,
konnte ich nicht feststellen, auch nicht die von H. C. Jelgersma [2] ange-
botene Erklärung nachvollziehen, es könnte möglicherweise mit der Funktion
des Königs als "magic spokesman" für seinen Sohn zusammenhängen. Das bis
in das letzte Detail durchgeplante Bildprogramm der Prinzengräber läßt
kaum zu, die emphatische Form des m3^c-ḥrw nur als Schreibvariante zu verstehen. Das Bildprogramm der Prinzengräber hat gezeigt, daß der König als
Verstorbener und als vergöttlichter Herrscher in der Unterwelt dargestellt
wird. Soll dieses mit Nachdruck in der Form pw m3^c-ḥrw betont werden?

2. Die Stellung des Prinzen

Die überragende Person in den Prinzengräbern ist der König. Es fehlen in
den Gräbern die für den Grabinhaber so wesentlichen Teile des Bildprogramms
wie Bestattungszug, Mundöffnung, Totengericht oder Opferritual. Das Bildprogramm in den Prinzengräbern besteht allein aus dem Verkehr des Königs,
gefolgt von seinem Sohn, mit den Gottheiten, wenigen Szenen des Prinzen
allein vor den Gottheiten und in 3 Gräbern zusätzlich aus der Wiedergabe
der Pforten des Totenbuches 145 A.

Die Stellung des Prinzen in seinem Grab ist u.a. aus der Änderung seiner
Beischriften und aus den wenigen Szenen ablesbar, in denen er allein, ohne
den König auftritt.

a) Die Änderung der Prinzenbeischriften

QV 44, Chaemwese:

Dem Prinzen mit dem Priestertitel "sm-Priester des Ptah, der Große, der
südlich seiner Mauer ist, Herr des Lebens der Beiden Länder" ist im 1.Korr-
ridor stets "Königssohn", der Name und "selig" beigeschrieben, während im
linken Nebenraum das "selig" fehlt. [3]

---

1) E. Lefébure, Hypogées Royaux, pls. 58.
2) H. C. Jelgersma, JEOL 21 (1970), 169 - 174.
3) Es ist der Raum, in welchem der König die Erscheinungsform des Osiris
annimmt.

Im 2. Korridor wird nach "Königssohn" die 2. Kartusche mit dem Geburtsna-
men des Königs eingeschoben = "Königssohn des (2)| ". In der Mitte des 2.
Korridors vor der 13. und 14. Pforte TB 145 A trägt der Prinz das $\widehat{|}$-Szep-
ter und wird zusätzlich "der erste (tpj) Königssohn, sein leiblicher"
(links) und "Königssohn , sein leiblicher, sein geliebter, ältester Sohn
(⚬⁞—), sein geliebter" [1] genannt. Auch hier ist nicht anzunehmen, daß
die Bezeichnung als erster oder ältester Sohn der Realität entspricht, sondern sie ist eine einmalige Hervorhebung.

QV 55, Amun(her)chepeschef:
Dem Titel des Prinzen "königlicher Schreiber, Aufseher der Pferde der
Streitwagenstation des (1)| , der leibliche, der geliebte, Amun(her)chepe-
schef, selig" wird in den beiden dekorierten Räumen des Grabes von insge-
samt 13 Beischriften in 8 Fällen "Erbprinz" und "erster Beider Länder" vorgesetzt. Diese häufige und durchgehende Titulatur scheint darauf hinzuweisen, daß er zu Lebzeiten und während des Grabbaus den Titel "Erbprinz" getragen hat. Eine Änderung zum Thronnamen des Königs innerhalb seines Militärtitels gibt es nicht. Ein weiterer Einschub zum Titel erfolgt vor Amset:
"geboren von der Gottesgemahlin, der Gottesmutter, der großen königlichen
Gemahlin" und vor Isis:"geboren von der großen königlichen Gemahlin, der
Herrin der Länder."

QV 43, Sethherchepeschef:
Der Prinz betritt den Korridor als "erster Königssohn seiner Majestät, Wa-
genlenker des großen königlichen Stalls des (1)| , (2)| Sethherchepeschef
selig". In der 3. Szene vor Anubis erhält er die zusätzliche Bezeichnung
"der älteste, der geliebte".
Im 2. Korridor wird der Titel umgestellt und die Kartusche des Königs mit
dem Thronnamen entfällt: "Der erste Wagenlenker des großen königlichen
Stalls des (2)| , Königssohn, Sethherchepeschef, selig" [2] . Nach der 2.
Szene des 2. Korridors wird vor alle Titel "Osiris" vorangestellt und verbleibt dort für alle folgenden Beischriften zum Prinzen im Grab. Das ⚬ǁ wird
variiert, wie im 1. und 2. Korridor und zum Teil durch ⊏ ersetzt, oder erscheint nicht. Im 4. Raum wird der Prinz nicht dargestellt, jedoch von den
Gottheiten mit zum Teil verkürzten Titeln angesprochen, wobei "Osiris" niemals fehlt. In zwei Fällen wird er als der "Älteste" bezeichnet: "ältester
Sohn des Re-Harachte" (zu Kebeḥsenuf) und "Erster des (tpj.n) Osiris ////
ältester Sohn, der leibliche, der geliebte, Königssohn".

1) "Sein leiblicher" oder "sein geliebter" findet sich auch an anderen
   Stellen des Grabes.
2) Nur rechte Seite, links fehlt, "erste" und "Königssohn".

Ob die Bezeichnung "der Erste" oder "der Älteste" einer Realität entspricht d.h. daß Sethherchepeschef zum Zeitpunkt des Grabbaus der ranghöchste oder älteste Sohn des Königs gewesen ist, muß nach dem Einsatz dieser Titel bezweifelt werden. Es ist eher anzunehmen, daß der jeweilige Gott ihn mit einem hervorhebenden oder auszeichnenden Titel ausstattete. Als wesentlichste Änderung seiner Beischriften verbleibt die Vorschaltung von "Osiris" im 2. Korridor, nachdem er dem "unversehrt Erwachenden", d.i. Osiris und den Horussöhnen begegnet ist. Ferner der Fortfall des Thronnamens Ramses III. innerhalb seines Militärtitels.

Eine vergleichbare Wandlung des Prinzen zu Osiris mittels der Änderung des Titels ist in den anderen Prinzengräbern in dieser Form nicht gegeben, auch können QV 53 und KV 3 wegen ihrer Zerstörung hierzu keine Aussage geben.

QV 42, Paraherwenemef:

Einen Osiristitel führt der Prinz in seinem Grab nicht. Sein Titel:"Wagenlenker des großen königlichen Stalls des (2), (2), Paraherwenemef, selig" wird häufig mit dem Vorschub "Erster (tpj) Königssohn seiner Majestät" geschrieben, jedoch ist wegen der Zerstörung seiner Beischriften nicht festzustellen, ob es eine besondere Regel für den Titelzusatz gibt. Nach den bisherigen Erkenntnissen würde ich nicht annehmen, daß Paraherwenemef tatsächlich ein erstgeborener oder ranghöchster Königssohn im Zeitpunkt des Grabbaus gewesen ist. Bemerkenswert ist, daß innerhalb seines Militärtitels die Königskartuschen zumeist zweifach, nur den Geburtsnamen Ramses III. zeigen.[1]

b. Die Prinzendarstellung ohne den König

QV 44, Chaemwese:

Der Prinz erscheint in seinem Grab allein, ohne daß der König ihm vorangeht, nur in den beiden Nebenräumen zum 1. Korridor. [2] Im ersten, westlichen Nebenraum tritt er vor die Horussöhne, die Kanopengöttinnen, die Neunheit und Bak, letzteren folgt jeweils Ḥr-m-nḫn; die Rückwand wird von Ptah-Sokar-Osiris-Chontamenti in seiner Doppelform eingenommen. Im zweiten, linken Nebenraum steht der Prinz wiederum vor den Horussöhnen und den Kanopengöttinnen sowie Anubis,der im rechten Nebenraum nicht vertreten ist. Das "Schlußbild" der Rückwand wird von Osiris in seiner Doppelform eingenommen, in dessen Erscheinungsform der König, ausweislich der Beischrift zwischen den Osirisfiguren, eingeht.

1) Nur in einem Fall erfolgt d.Schreibung d.Geburtsnamens R.III. in Form 4.
2) Der Prinz wird im 1. Korridor vom König durch den Durchgang zum rechten Nebenraum so getrennt, daß er allein den Raum zu betreten scheint.

QV 55, Amun(her)chepeschef:
Der Prinz wird nur am Ende des 2. Korridors, nach der 6. Pforte TB
145 A auf der rechten Seitenwand vor Betreten der Sarkophaghalle [1] allein
ohne den König dargestellt.

QV 43, Sethherchepeschef:
Der Prinz wird in seinem Grab nicht allein dargestellt; er folgt stets dem
König. Nur aus den Beischriften geht hervor, daß ihm auch eine individuelle
Rolle zugewiesen worden ist. In der Sarkophaghalle befinden sich zwei Beischriften, die hierauf hinweisen:
durch die senkrechte Beischrift zu Beginn der Halle, links vom Durchgang:
"Osiris, Militärtitel mit dem Thronnamen des Königs (!)" der Text ist anschließend zerstört, und den unterhalb der Raumdecke umlaufenden umfangreichen Text mit den Titeln und den Namen des Prinzen. Im 4. und letzten Raum
wird der Prinz nicht dargestellt, jedoch sprechen die Gottheiten der Seitenwände nur den Prinzen an.

QV 42, Paraherwenemef:
Der Prinz erscheint in seinem Grab stets hinter dem König, niemals allein.

c. Die Horussöhne und die Verklärung des Prinzen

Auffällig ist, daß die Horussöhne in einigen Prinzengräbern eine besondere
Rolle zu spielen scheinen.Einen Hinweis zum Verständnis der Szenen geben im
Grab des Amun(her)herpeschef die Szenen und Beischriften mit den Horussöhnen im 1. Raum. Der Prinz wird vor Amset als "Königssohn, sein leiblicher,
sein geliebter, geboren von der Gottesgemahlin, der Gottesmutter, der gros-
sen königlichen Gemahlin" und vor Isis als "Königssohn, sein leiblicher,
sein geliebter, geboren von der großen königlichen Gemahlin, Herrin der
Länder" bezeichnet. Ein Vergleich der Texte zeigt, daß die Verkürzung der
Titulatur vor Isis nicht auf dem Mangel ausreichenden Raumes für den er-
weiterten Text beruht. [2] Das fehlende Textteil, "geboren von der Gottesgemahlin, der Gottesmutter" wurde dem Prinzen vor Isis offensichtlich nicht
beigeschrieben, weil Isis diese beiden Begriffe in sich verkörpert. So beziehen sich die Einschübe zum Prinzentitel sicher auch auf seine leibliche
Mutter, die große königliche Gemahlin Ramses III., jedoch wird ihr Name
nicht genannt. Wichtiger als die leibliche Mutter scheint deshalb der Vergleich der Isis als die Mutter des Prinzen zu sein. Sie kann in diesem Fall
nicht als Gattin oder Schwester des Osiris gelten, denn deren Sohn im un-

1) Die Sarkophaghalle wurde nicht fertiggestellt und ist nicht dekoriert.
2) Vergleiche C 6 und C 7 bei F. Hassanein et M. Nelson, CEDAE; 1976, pl.
   XVIII f.

terweltlichen Bereich ist Horus-Sohn-der-Isis und als Harsiesis gilt der
König in der 1. Stufe seiner Verwandlung. [1] In Verbindung mit den Horussöhnen und als Mutter des Prinzen kann sie nur die Gattin des Horus-Sohn-
der-Isis sein und damit die Mutter der Horussöhne. Wenn der Prinz als von
der Gottesgemahlin und Gottesmutter geboren bezeichnet wird, gilt er hier
als Horussohn. Dieses scheint auch der Stellung des Königs als Vater des
Prinzen zu entsprechen, demnach des Horus-Sohn-der-Isis, denn die Horussöhne sprechen zu ihm:

"Es spricht: geehrt bei Duamutef (zu) Osiris König, Herr der Diademe (   ),
der selig ist. [2] Ich habe dir deine Kinder, die aus deinem
Leibe gekommen sind, gebracht. Sie geben [dir] ////".

Hapi: "Ich habe dir deine Kinder, die Götter, die aus deinem Leibe
gekommen sind, gebracht. Sie machen für dich Lobpreisungen".

Amset: "Ich habe dir deine Brüder, die Götter, gebracht. Sie machen
für dich ihre Lobpreisungen":

Kebeḥsenuf: "Ich habe dir die im Himmel sind gebracht, ich habe dir die
in der Erde sind gebracht".

Bedeutsam ist die Reihenfolge der Horussöhne, ihre Zählung beginnt gegen-
läufig, d.h. aus dem Grabinneren. Sowohl ihre Beinstellung [3] als auch ihre
Reihenfolge vom Grabeingang gesehen ist mit Duamutef, Amset, (links) und
Kebeḥsenuf, Hapi (rechts) in das Grabinnere gerichtet. Ihre Beischriften
weisen auf eine doppelschichtige Bedeutung hin: Duamutef bringt die leiblichen Kinder, d.h. die Horuskinder,die aus deinem Leibe gekommen sind,
d.s.die Königssöhne, damit wird der König als Horus-Sohn-der-Isis verstanden, gleichzeitig werden seine Söhne mit den Horussöhnen gleichgesetzt.
Hapi fügt noch "deine Kinder, die Götter" hinzu, um die göttliche Stellung
der Horussöhne, des Vaters = Ramses III. und die Verklärung der Prinzen zu
verdeutlichen. Von Amset und Kebeḥsenuf wird allein die Gotteseigenschaft
des Königs betont: "ich habe dir deine Brüder, die Götter, gebracht". Erst
durch die Horussöhne und ihre Beischriften sowie die Beischriften zum Prinzen als Sohn der Isis, als Horussohn, wird die Haltung der am Geschehen
beteiligten Gottheiten [4], einerseits mit dem Oberkörper zum König und zum
Prinzen und damit traditionell zum Grabausgang gewendet, andererseits durch

1) F. Abitz, König und Gott, S. 173 ff.
2) Dieser Teil der Rede steht bei allen Horussöhnen; bei Amset und Hapi
 heißt es "Herr Beider Länder (   ) ".
3) Abb. Nr. 19 und Nr. 4.
4) Außer den Horussöhnen gehen auch Isis und Hathor, letztere sicherlich
 eine Erscheinungsform der Isis, den König und den Prinzen geleitend in
 das Grab hinein.

Abbildung Nr. 19
König und Prinz vor Amset in QV 55

die Reihenfolge der Horussöhne und die Beinstellung,den König und Prinzen in
das Grabinnere begleitend, verständlich. Sie geleiten den König als Harsiesis und den Prinzen als Horussohn in das Grab, hierdurch ist eine Form der
Verklärung des Prinzen vorgenommen worden, die vor dem "Schlußbild" des
Grabes, der Doppelform des Osiris, ihren Abschluß findet. [1]

Im Grab QV 43, des Sethherchepeschef, ist die Verklärung des Prinzen in
anderer Weise, jedoch wiederum im Zusammenhang mit den Horussöhnen vorgenommen worden. Sie wird durch die Titeländerung des Prinzen, durch Vorschaltung von "Osiris" ausgedrückt, nachdem er Osiris als "unversehrt Erwachenden (rś-wd3), Erster der Schetit" (Ostseite) und den Horussöhnen
(Westseite) im 2. Korridor begegnet ist. Die Ostseite des Korridors mit dem
"unversehrt Erwachenden" als Regenerationsform des Osiris, mit Schu, Sohn
des Re und Schepsi, der Re ist, scheinen als Formen des Sonnengottes sich
auf den Vater Ramses III. und die Westseite mit den Horussöhnen und Nefertem auf den Sohn, den Prinzen Sethherchepeschef, zu beziehen.

1) Vergleiche hierzu die gleiche Situation und Beinstellung im Nebenraum
   zum 1. Pfeilersaal des Grabes von Ramses III., die ebenfalls mit der
   Verklärung des Königs zusammenhängt: F. Abitz, König und Gott, Abb.
   Nr. 10 und Erläuterung S. 24 f.

Die Horussöhne nehmen ebenfalls im Grab des Chaemwese, QV 44, eine wichtige
Stellung in den beiden Nebenräumen zum 1. Korridor ein. Der Ablauf in den
beiden Räumen stellt sich wie folgt dar:

Zum rechten Westraum:

Zu Beginn des 1. Korridors tritt der König allein vor Ptah-Sokar-Osiris,
    inmitten der Schetit.

Der Prinz betritt allein den rechten Nebenraum, die Darstellung von König
    und Prinz wird durch den Durchgang getrennt.

Der Prinz tritt vor Hapi und Amset, der spricht: "Ich bin zu dir gekommen,
    um dich zu begrüßen (und) den Großen, der in der Stätte ist".

Der Prinz steht vor Kebeḥsenuf und Duamutef, der spricht:" Ich bin gekom-
    men, Schutz für dich zu sein, den Schutz deines Leibes zu machen,
    immerdar.

Der Prinz tritt vor die Götterneunheit, die Herren der Dat und den Gott
    Baḳ [1), jeweils gefolgt von Ḥr-m-nḫn.

Die Rückwand wird von der Doppelform des Osiris eingenommen, ausgewiesen
durch die zwischen den Figuren stehende Beischrift, in der Erscheinungsform des Ptah-Sokar-Osiris, dem 1. Gott, vor den der König vor dem Nebenraum im 1. Korridor allein getreten ist.

Die Zusammenfügung der Rede des Amset, das Auftreten der Götterneunheit,
des Schutzes durch die Horussöhne und die Doppelform des Osiris, mit welcher der König nicht identifiziert wird, scheint eine Anspielung auf das
Totengericht zu sein, ohne daß dieses abgebildet oder genannt wird.

Der linke Ostraum, in dem der Prinz ebenfalls allein, anbetend und ohne
Wedel erscheint, wird im 1. Korridor durch die Szenen mit Thot und Anubis
flankiert, den Göttern, die häufig, nach dem Abwägen des Herzens den Toten zu Osiris geleiten. Dieser Raum scheint der entsprechenden Begegnung
mit Osiris vorbehalten zu sein, denn die Anspielungen auf das Tribunal des
Osiris fehlen. Der Prinz tritt vor Anubis, der in den Binden ist (links)
und Anubis, dem Herren von Rosetau (rechts), um folgend jeweils vor der
Gruppe der Horussöhne zu stehen, denen nur ihr Name beigeschrieben ist. Wie
im rechten Westraum erscheint auf der Rückwand die Doppelform des Osiris,
hier jedoch wird der König durch die zwischen den Figuren stehende Textzeile mit seinen Titeln und Namen mit Osiris identifiziert. Die beiden Nebenräume im Grab des Chaemwese dienen offensichtlich der Verklärung des
Prinzen, ohne daß das übliche Ritual des Osiris-Tribunals dargestellt wird.

1) Der Gott Baḳ ist mir in dieser Form nicht bekannt. Es könnte der Vergleich zum Ölbaum gemeint sein, TB 125, Zeile 165 f., E. Hornung, Totenbuch, S. 241.

Wie in den Königsgräbern festgestellt [1], sind auch in den Prinzengräbern
die religiösen Aussagen so verkürzt worden, daß allein aus der Kombination
von Bild und Text der Sinngehalt des Geschehens abgelesen werden kann. Die
Bearbeitung der Prinzengräber hat ergeben, daß einerseits Ähnlichkeiten
der Bildprogramme aller Prinzengräber vorhanden sind, andererseits für die
gleichen Inhalte häufig neue unterschiedliche Bild- und Textgestaltungen
gewählt wurden. So stellt sich die Frage, ob die in den drei vorbesprochenen
Prinzengräbern vorgefundene Verklärung des Prinzen im Zusammenhang mit
den Horussöhnen auf andere Weise im Grab QV 42 des Paraherwenemef zu finden
ist, denn in diesem Grab werden die Horussöhne weder abgebildet noch
genannt. Den Osiristitel trägt Paraherwenemef in seinem Grab nicht und es
gibt auch keine Merkmale seines Titels, die auf eine Verklärung hinweisen.

Allerdings ist abweichend von allen anderen Gräbern eine weitere Doppelszene, die des Rücken an Rücken stehenden Horus-Sohn-der-Isis und Osiris,
in die Sakophaghalle aufgenommen worden. [2] Sie steht vor dem "Schlußbild",
der Doppelform des Osiris auf der Rückwand, in der Mitte der rechten Seitenwand, das ist, entsprechend der Deckenform [3] in der 2. von den drei Ab-
teilungen der Sarkophaghalle und ähnelt im Aufbau der Form der für den König umgestalteten Osirishalle aus dem 1. Pfeilersaal seines Grabes. [4] Die
Szene zeigt den König und Prinzen jeweils vor den in der Mumienhaltung
dargestellten und mit Szepter und Geissel ausgestatteten Göttern, die entsprechend der zwischen ihnen stehenden Beischrift mit den Titeln und Namen
des Königs, auch als dessen Erscheinungsformen verstanden werden müssen.
Die Szene befindet sich in der Unterwelt, denn die Sarkophaghalle ist ein
Teil der Dat. So sind beide Götter in der Mumienform mit den Insignien der
Herrschaft in der Unterwelt versehen. Der König ist, entsprechend seiner
Verklärung in seinem Königsgrab, der Gott Horus-Sohn-der-Isis und in die-
ser Eigenschaft der Vater der Horussöhne. So ist der Sohn Ramses III., der
Prinz Paraherwenemef, ein Horussohn. Gleichzeitig ist Ramses III. auch in
der Erscheinungsform des Gottes Osiris dargestellt, zu dem er nach seinem
Tode durch das Ritual im 1. Pfeilersaal seines Königsgrabes geworden ist.

3. Die Gottheiten in den Prinzengräbern

Maat

Es ist anzunehmen, daß die geflügelte Maat, die Tochter des Re, die Ein-

1) F. Abitz, König und Gott, S. 201 ff.
2) Abb. Nr. 18.
3) Abb. Nr. 10.
4) Abb. Nr. 17.

gangslaibungen aller Prinzengräber geschmückt hat. Eindeutig ist dies für
die Gräber QV 44 und QV 55 nachzuweisen; in QV 43 ist nur noch eine geflügelte Göttin; in QV 42 sind nur noch die Wappenpflanzen und links Spuren
von zwei Göttinnen zu erkennen, von denen zumindest eine auf einem ▽ -
Zeichen zu sitzen scheint. Die Göttin Maat ist in den Prinzengräbern nur
an dieser Stelle nachzuweisen. Es kann angenommen werden, daß die Göttin
Maat, welche die bei der Weltschöpfung von den Göttern gesetzte Ordnung
verkörpert, den König und den Prinzen am Grabeingang empfängt, um ihn sicher über die Jenseitspfade zu geleiten. Diese Funktionen gehen aus den
Beischriften zur Maat in den Königsgräbern hervor: ". . ., sie empfängt ihren Sohn, den Osiris König, . . ." (Grab Ramses I.) und "Maat, Herrin des
Himmels, Gebieterin des abgeschirmten Landes inmitten der Nekropole" (Grab
Sethos I.). Ihre Darstellung an den Grabeingängen und den Raumdurchgängen
ist in den königlichen Grabanlagen von Sethos I. bis Ramses III. gegeben. [1]

Ptah im Schrein

Ptah im Schrein hat offensichtlich stets die "Eingangsposition" im Grab
eingenommen, er steht stets in der 1. Szene der linken Seitenwand. [2] In
den Gräbern QV 44 und QV 42 ist er "Ptah, der Große der südlich seiner
Mauer ist, Herr von Anch - tauj (Memphis) ". Die Beischriften in QV 43
und KV 3 [3] sind zerstört. In QV 55 lautet die Beischrift: "Ptah vor dem
Heiligtum der Tatenen", welche sich auf die folgende Szene mit "Ptah-Tatenen, Vater der Götter" bezieht. Der Gott wird in den Königsgräbern häufig
dargestellt, so z.B. auch im 3. Raum und im 1. Pfeilersaal des Grabes von
Ramses III. Er steht ebenfalls im Schrein, jedoch ist ihm zugeschrieben:
"Herr der Maat, König beider Länder"; [4] in keinem der Königsgräber ist ihm
das Epitheton "der Große, der südlich seiner Mauer ist" zugewiesen.

E. Hornung [5] hat in seinem Kommentar zum Bildprogramm des Königsgrabes von
Haremhab darauf hingewiesen, daß der Gott Ptah hier erstmalig in einem the-
banischen Königsgrab erscheint und wohl als Vertreter der nördlichen Residenz Memphis Aufnahme in die Grabbilder gefunden hat. Von den 6 behandelten Prinzengräbern haben 4 Grabanlagen eine Nord-Süd-Ausrichtung mit dem
Eingang im Norden und nur der Grabeingang von QV 55 liegt im Nordosten so-

1) F.Abitz, König und Gott, S. 115 f.
2) Im Grab QV 53 nicht nachzuweisen, diese Stelle ist vollständig zerstört.
   In QV 55 geht auf der breiteren Eingangswand eine Szene mit dem König,
   gefolgt von Thot, vor Isis voraus.
3) Die blaue Kappe des Ptah ist zu erkennen, der Schrein ist zerstört.
4) F. Abitz, König und Gott, s. 155 ff.
5) E. Hornung, Haremhab, S. 28.

wie das wahrscheinlich zuletzt gearbeitete Prinzengrab im Tal der Könige
hat den Eingang im West-Süd-Westen. Die "Eingangsposition" das Ptah in den
Prinzengräbern entspräche damit ebenfalls einer Ausrichtung zur nördlichen
Residenz. Hierauf weist auch sein in den Prinzengräbern verwendeter "mem-
phitischer" Beiname "der südlich seiner Mauer ist" hin. Bemerkenswert ist,
daß Ptah im 1. Pfeilersaal der ramessischen Königsgräber von Sethos I.,
Sethos II. und Ramses III. ebenfalls die "Eingangsposition" einnimmt. [1]
Das in den Königsgräbern stets verwendete Epitheton "Herr der Maat" weist
ihn auch als Herrn der Wahrheit, der Gerechtigkeit und der göttlichen Ordnung aus; so wird er häufig in den königlichen Grabanlagen in einem Schrein
stehend dargestellt und von den Flügeln der hinter ihm stehenden Göttin
Maat umschlossen. [2] Die Verbindung des Gottes Ptah mit der Maat kann ein
weiterer Grund sein, ihm gleich der Göttin Maat eine "Eingangsposition" in
den prinzlichen Gräbern zuzuweisen.

Ptah-Sokar-Osiris

Eine Verbindung besteht offensichtlich zwischen Ptah-Sokar-Osiris und der
"Eingangsfigur" des Ptah im Schrein in den Gräbern QV 44 (ebenfalls erster
Gott auf der rechten Wandseite) und QV 43 (zweiter Gott auf der rechten
Wandseite). In beiden Gräbern ist er "inmitten der Schetit". In QV 44 ist
im unmittelbar der Szene mit Ptah-Sokar-Osiris folgenden, rechten Neben-
raum der Doppelfigur des Rücken an Rücken auf seinem Thron sitzenden Osi-
ris zwischen den Göttern beigeschrieben: "Es spricht Ptah-Sokar-Osiris-
Chontamenti, inmitten der Schetit".

In dem durch den Achsenknick gebildeten Raum N des Grabes von Ramses III.
ist eine ähnliche Bildanordnung festzustellen. Der König opfert auf der
linken, östlichen Seitenwand vor Ptah und auf der, durch die Querstellung
des Raumes gegebenen langen rechten Eingangswand vor dem auf seinem Thron
sitzenden Ptah-Sokar-Osiris. [3] Auf den korrespondierenden Pfeilerseiten
Fa und Ga des gleichen Grabes sind Ptah-Tatenen und Ptah-Sokar-Osiris wiedergegeben. [4] Eine Verbindung der Götter, Ptah, Ptah-Tatenen und Ptah-Sokar-Osiris ist gleichermaßen im Grab Ramses III. und seiner Söhne vorhanden.

Geb und Schu

Geb und Schu treten in den Gräbern QV 44, 55, und 43 paarweise auf; ob

1) F. Abitz, König und Gott, S. 176, 180, 181.
2) A.a.O., Abb. 34, S. 79.
3) A.a.O., S. 156.
4) A.a.O., S. 194.

dieses auch für QV 42 (nur Geb erhalten) gilt, ist wegen der Zerstörung zu Beginn der rechten Seitenwand des 1. Korridors nicht festzustellen. Geb ist stets "der Vater der Götter" und Schu "der Sohn des Re". [1]

Außer im ersten Korridor wird Schu auch im 2. Korridor von QV 43 und auf der Pfeilerseite Db von QV 42 als "Schu, Sohn des Re" dargestellt.

In den Prinzengräbern ist die Reihenfolge der beiden Götter stets Geb links oder Geb vor Schu. Die gleiche Verteilung ist in den Königsgräbern gegeben: 1. Pfeilersaal Sethos II. Pfeilerseiten Bb = Geb, Dd = Schu; Sarkophaghalle Sethos I. Pfeilerseite Ac = Geb, Dc = Schu; d.h. daß Geb links und Schu rechts jeweils ein Paar bilden. [2] Die beiden Götter sind innerhalb der Mythologie nach Atum das erste (Schu-Tefnut) und das zweite göttliche Paar (Geb-Nut) vor der dritten Kindesgeneration (Isis-Osiris-Nephthys-Seth) und nehmen innerhalb der großen Götterneunheit somit die Generationen zwischen Atum und Osiris ein. Im Grab des Chaemwese (QV 44) ist auf der rechten Wandseite des 1. Korridors diese Generationenfolge der männlichen Götter Atum - Schu - Geb - Osiris (in der Erscheinungsform des Ptah-Sokar-Osiris) gegeben. Die beiden Götter Geb und Schu sind ferner zusammen mit Nut am Schöpfungsakt der Trennung von Erde (Geb) und Himmel (Nut) zur Schaffung der Atmosphäre (Schu) beteiligt.

Thot

"Thot, der Herr der Gottesworte" ist im 1. Raum der Gräber QV 44, 55, 42 und wahrscheinlich auch KV 3 [3] dargestellt. Im Zusammenhang mit Anubis - beide flankieren den Zugang zum linken Nebenraum in QV 44 - scheinen beide Götter am Geleit zu Osiris beteiligt zu sein. [4]

In QV 55 nimmt Thot, der dem König folgt, in der ersten Szene des Grabes eine Sonderstellung ein. Er geht, als Gott völlig unüblich, in das Grabinnere. Die rechte Hand mit der Schreibbinse ist erhoben, die linke Hand hält die Palette; die nur im oberen Bereich erhaltene Beischrift lautet: "Thot schreibt für dich die ḥb - sd- Feste ////". Diese unübliche Darstellung scheint ein weiterer Beleg dafür zu sein, daß der König bereits beim Be-

---

1) In QV 55 ist die Beischrift vollständig zerstört; in QV 43 ist nur "Es spricht Geb ////" erhalten.
2) F. Abitz, König und Gott, S. 180 u. 189.
3) Nur noch an Mondsichel und Scheibe zu erkennen. Nach dem Stand im 1.Koridor ist es unwahrscheinlich, daß es Schepsi ist, der im Grab Ramses III. mit gleichem Kopfschmuck erscheint.
4) S.Abschnitt II,2 c. Eine gleiche Verbindung der beiden Götter ist in der Sarkophaghalle Sethos I. gegeben:Pfeilerseite Cb=Thot und Fd=Anubis; Bb=Anubis und Ed=Thot; F. Abitz, König und Gott, S. 189.

treten des Prinzengrabes als vergöttlicht angesehen wird.

Thot, der Herr der Gottesworte wird ferner im letzten Raum von QV 43 zusammen mit einer Vielzahl von hockenden Göttern, die alle das Zeichen ♀ vor sich halten und den Prinzen ansprechen, dargestellt. Thot ist im Grab QV 42 auf der Pfeilerseite Bd, ihm gegenüber auf der Pfeilerseite Db ist Schu dargestellt. Die Zerstörung eines Teils der Pfeilerseiten im Grab QV 42 läßt eine Aufstellung über die Verbindung der Götter untereinander nicht zu.

Die Götter der Sarkophaghalle von QV 44 sind so angeordnet, daß sich Thot und Horus-ḫntj-ḫtj auf den Seitenwänden gegenüberstehen. Dieser Anordnung entspricht die Szene des Geleits des Königs von Thot und Horus-ḫntj-ḫtj zu Osiris im Nebenraum zum 1. Pfeilersaal im Königsgrab von Ramses III. [1] In der Sarkophaghalle des Grabes QV 44 ist nur der König vor den Göttern abgebildet. Das Geleit zu Osiris durch die beiden Götter endet in QV 44 und dem Königsgrab vor der Doppelform des Osiris, die in beiden Gräbern gleichermaßen auch die Erscheinungsform des Königs als Osiris ist. [2]

Anubis

Der Gott ist in den Gräbern QV 44, 43 und 42 (?) [3], jeweils auf der linken Seitenwand des 1. Korridors dargestellt und trägt das Epitheton "der in den Binden ist, der große Gott" in QV 43; "vor dem Gottesschrein" in QV 44; in QV 42 ist nur "Rosetau" erhalten. Seine Verbindung mit Thot ist nur in QV 44 nachzuweisen und vielleicht in QV 42 ebenfalls gegeben, [4] während in QV 43 Thot im 1. Korridor fehlt.

Die Verbindung von Anubis mit den Horussöhnen liegt in QV 44 im linken Nebenraum zum 1. Korridor vor, er ist dort "der Herr von Rosetau" (rechts) und "der in den Binden ist" (links). Vor der Beischrift des Anubis ist in der Sarkophaghalle vor QV 42 nur das Zeichen ᐁᐁ unzerstört verblieben.

Der Gott Anubis, der Herr der Nekropole, übernimmt in den Königsgräbern den Schutz des Toten in vielfacher Weise und tritt als Gott innerhalb des Osirisgeleites auf [5]. Dieser Funktion entspricht in den Prinzengräbern ein Teil des unterhalb der Decke in der Sarkophaghalle des Sethhercheps-

1) F. Abitz, König und Gott, S. 147 und Abb. Nr. 10, S. 21.
2) Doppelform des Osiris in QV 44 auf der Rückwand des gleichen Raumes, in KV 11 auf der Rückwand des 1. Pfeilersaales.
3) Der sehr zerstörte Gott wird von J. F. Champollion Osiris genannt,s.I/5.
4) Siehe die diagonale Stellung von Thot auf der rechten Wandseite.
5) F. Abitz, König und Gott, S. 125ff.

schef umlaufenden Textes: "Ich bin beschützt durch die beiden Arme des Anubis vor der Götterneunheit, die in der Dat ist".

Anubis auf dem Schrein kommt in den Prinzengräbern mit dem Löwen auf dem Schrein vor [1] und zum Teil in den Bogenfeldern des dreifachen Deckengewölbes in QV 42, dort mit dem šn-Ring und den Epitheta "der große Gott" und "der in den Binden ist".

Erscheinungsformen des Sonnengottes: Re-Harachte, Atum, Schepsi

Re-Harachte, der große Gott, erscheint mit Atum, Herr Beider Länder und Heliopolis in QV 44 und mit Osiris in QV 43 als letzte Szene im 1. Korridor. Vergleichbar ist die Gestaltung der Pfeilerseiten Bc = Atum und Dc = Re-Harachte in der Sarkophaghalle von QV 42 unmittelbar gegenüber dem "Schlußbild", welches die Doppelform des Osiris auf der Rückwand zeigt. Es ist auffällig, daß im ersten Korridor Re-Harachte auf der Ostseite (dieses gilt auch für KV 3) wie zu erwarten dargestellt wird, jedoch in der Sarkophaghalle, siehe die Pfeilereinteilung bei QV 42 und in zweifacher Form in QV 43 (Sarkophaghalle und folgender Raum), auf den Westwänden zu finden ist. Einen Hinweis auf die Funktion des Re-Harachte auf der Westseite im Grab QV 43 -Sethherchepeschef- gibt der Szenenaufbau in der Sarkophaghalle. Der Gott in seiner üblichen Gestalt, mit der vom Uräus umschlungenen Sonnenscheibe über dem Haupt, hält zwei Palmenblattrippen vor den König, die diesem die Ewigkeit (Millionen von Jahren) geben. [2] Daß dem Gott kein Name beigeschrieben wurde, jedoch des Königs Titulatur (Osiris König) und seine Namen zwischen den beiden Palmenblattrippen geschrieben wurden, kann anzeigen, daß der König mit Re-Harachte identifiziert werden soll. Es wäre dann die Darstellung der Regeneration des Königs im Westen. Die Sarkophaghalle ist die Unterwelt und Re auf seiner Nachtfahrt durch die Dat gibt den Toten Licht und Leben bei seinem Erscheinen; er gibt dem König hier die Ewigkeit in Form von Millionen Jahren,die seinen Namen umschließen. Wie aus dem Buch der Anbetung des Re im Westen und aus den Königsgräbern bekannt [3] ist Re = Osiris und Osiris = Re; der tote König wird demnach als Osiris-König ebenso mit Re identifiziert.

Atum, die abendliche Erscheinungsform und Re-Harachte, als die Tagesgestalt des Sonnengottes sind in den Königsgräbern vielfach an den Wänden und Pfeilern der Grabanlagen gegenübergestellt worden. Sie scheinen im

---

1) Die Szenen werden nachfolgend unter "Wächtergottheiten" behandelt.
2) Abb. Nr. 9.
3) E. Hornung, Das Buch der Anbetung des Re im Westen, u.a. S. 26,
   F. Abitz, König und Gott, S. 204 ff.

Raum N des Grabes von Ramses III. in eine Erscheinungsform zusammengeflossen zu sein. Auch eine Gegenüberstellung des Sonnengottes mit dem Gott der Unterwelt, Osiris, ist seit Sethos I.in den Königsgräbern zu belegen, wobei auch auf die Vereinigung von Re und Osiris in der Tiefe der Dat angespielt wird. [1]

Im letzten Raum des Grabes QV 43 erscheint Re-Harachte ebenfalls auf der Westwand als zweiter Gott nach Thot in der Reihe der hockenden Gottheiten, die den Lebensschlüssel vor sich halten: "Es spricht Re-Harachte, der Herr der Nekropole (⚬)[2], dem Ersten des Osiris (⚬)[3], dem ältesten Königssohn, u.s.w.". Der Prinz ist in diesem Raum nach der Sarkophaghalle ein Verklärter, der die Segnungen des Re in der Unterwelt erhält. So lautet auch die Rede des Kebehsenuf auf der linken Seite des gleichen Raumes nach den Titeln und dem Namen des Prinzen: "ältester Sohn des Re-Harachte, in dem Ei des Chepri". (Ostseite !)

In zwei Fällen erscheint Schepsi in den Gräbern der Prinzen. In den Königsgräbern ist Schepsi erstmals im Grab Ramses III., jeweils einmal im 1. Pfeilersaal und der Sarkophaghalle vertreten. [4] Er ist dort die komplementäre Gottesfigur zu Thot und wird als "befindlich in Hermopolis" bezeichnet. In QV 43 erscheint er im 2. Korridor auf der Ostwand als "Schepsi, der Re(ist)"(⚬) mit der Sonnenscheibe auf dem Haupt und in QV 44 auf der Westwand der Sarkophaghalle mit Mondscheibe und -sichel als "Schepsi, der große Gott". Die Funktion des Gottes in der Unterwelt wird nicht nur durch den Wechsel von der Ost- zur Westwand, sondern auch durch den Wechsel des Kopfschmuckes, von der Sonnenscheibe zur Mondscheibe und -sichel, veranschaulicht.

Osiris und der Djed-Pfeiler

Die Doppelform des Osiris, d.i. der Rücken an Rücken auf seinem Thron sitzende Osiris als "Schlußbild" der Nebenräume von QV 44 und am Ende der Gräber QV 44, 43 und 42 wurde wegen der festgestellten Identifizierung des Königs mit Osiris bereits im Abschnitt II/1 ebenso wie die Doppelszene Harsiesis/Osiris in der Sarkophaghalle von QV 42 besprochen.

Vor Osiris erscheinen der König und der Prinz dann nur noch in QV 43 und

1) F. Abitz, König und Gott, S. 148 ff.
2) Sicher nicht als "Wüste", sondern "Nekropole" zu lesen.
3) Die zerstörte Stelle ist nicht hoch genug, um "Königssohn" zu vermuten.
4) F. Abitz, König und Gott, S. 146, 181, 194.

wahrscheinlich in KV 3[1]. In QV 43 ist im 1. Korridor "Osiris, Herr von jtf3. wr" dem Sonnengott Re-Harachte gegenübergestellt. Osiris steht entsprechend auf der Westwand. In der folgenden Szene im 2. Korridor ist Osiris in der Erscheinungsform des "unversehrt Erwachenden (rś w̱d3), Erster der Schetit" auf der Ostwand dargestellt. Wenngleich er an der Ostwand die Szepter des Osiris trägt, wird er bereits in der lebenden Form mit gelösten Gliedern und roter Hautfarbe, d.i. nach seiner Regeneration und entsprechend im Osten abgebildet. Die ihm auf der Westseite zugeordneten Horussöhne sind, wie die Auferstehungsszene des Osiris im Kenotaph Sethos I. zeigt [2], an diesem Ritual beteiligt. Im gleichen Grab, in der Sarkophaghalle des Sethherchepeschef, ist unterhalb der Decke umlaufend ein umfangreicher Text angebracht, welcher auf der Westseite "du unversehrt Erwachender, der die Schetit durchfährt" enthält. Auch hier wird eine Anspielung auf die Vereinigung von Osiris mit Re enthalten sein, denn mit "der die Schetit durchfährt" kann Re bei seiner Unterweltsfahrt durch die Stunden der Nacht angesprochen sein.

Nach den Beischriften ist der auf beiden Seiten der Laibungen des Durchgangs zur Sarkophaghalle QV 44 dekorierte Djed-Pfeiler eine Erscheinungsform des Osiris, denn die Beischriften lauten: "Es spricht Osiris, Herr des Westens (jmn.t)" oder "Osiris-Chontamenti, Herrscher der Ewigkeit".

Standort und Beischrift des Djed-Pfeilers entsprechen der Darstellung im Grab Ramses III. an den Laibungen des Durchgangs zum 1. Pfeilersaal. Auch hier weist die Beischrift zur rechten Darstellung "Osiris, Herr der Ewigkeit" darauf hin, daß es sich bei dem Djed-Pfeiler um einen Aspekt des Gottes Osiris handelt. [3]

Die Erscheinungsformen des Horus

(Horus-Iwnmutef, Harsiesis, Horus-ẖntj-ẖtj, H̱r-m-nẖn).
Horus-Iwnmutef kommt nur in den Gräbern QV 44 und 55 vor. Dort jeweils an gleicher Stelle, an den beiden Eingangswänden des 2. Raumes, an dessen Seitenwänden die Pforten des Totenbuches 145 A dekoriert sind. Ob der Gott [4], wie zu erwarten wäre, auch die Eingangswände des 2. Raumes von QV 53, in welchem ebenfalls die Pforten enthalten sind, bedeckt hat, ist

1) S. Abschnitt I/6.
2) F. Abitz, Statuetten in Schreinen, Abb. Nr. 10 u. 17.
3) F. Abitz, König und Gott, S. 167.
4) In den Königsgräbern wird Horus-Iwnmutef wiederholt dargestellt,so auch im Grab Ramses III., und ist entsprechend den Beischriften ein Gott und nicht ein Iwnmutef-Priester. F. Abitz, König und Gott, S. 137 ff.

wegen der Zerstörungen nicht nachzuweisen. In QV 44 steht zu dem Gott nur
der Name, während in QV 55 der König unmittelbar angesprochen wird: Es
spricht Horus-Iwnmutef zu Osiris-König etc." Horus-Iwnmutef erscheint ferner auf den Laibungen des Durchganges zu den beiden Nebenräumen, die in QV
44 vom 1. Korridor abgehen, nur mit seinem Namen.

Harsiesis ist in den Gräbern QV 44 und 42 wiedergegeben. Die Szene Harsi-
esis/Osiris in der Sarkophaghalle von QV 42 wurde bereits im Abschnitt
"Osiris" behandelt. In QV 44 steht der König in der Sarkophaghalle allein,
ohne den Prinzen, vor den Göttern, so auch vor Harsiesis. Die Seitenwände
der Sarkophaghalle tragen 4 Szenen mit jeweils zwei offensichtlich miteinander verbundenen Göttern:

Harsiesis	und	Schepsi
Thot	und	Horus-ẖntj-ẖtj

Das letztere Götterpaar entspricht, wie im vorstehenden Abschnitt "Thot"
besprochen, dem Geleit des Königs Ramses III. zu Osiris in seinem Grab (KV
11). Auch das Paar Harsiesis und Thot gehört häufig zum Osirisgeleit. Eine
weitere Verbindung besteht zwischen Horus-ẖntj-ẖtj und Schepsi durch ihre
Anordnung auf den Pfeilerseiten Cd und Dd in der Sarkophaghalle Ramses III.
Eindeutig ist, daß die vier Götter in der Sarkophaghalle des Prinzen Chaemwese Aufgaben für den König erfüllen, der allein in diesem Raum vor
ihnen steht.

In QV 44 ist im rechten Nebenraum zum 1. Korridor am Ende der beiden Seitenwände jeweils ein nackter, falkenköpfiger Gott abgebildet, dem Ḥr-m-nẖn
(𓀀 𓏤 𓂦) beigeschrieben ist. Die gleiche Wiedergabe des Gottes ist in
QV 43 auf den beiden Laibungen im Durchgang zum letzten Raum ohne Namensbeischrift vorhanden. [1]

Die Horussöhne, die Kanopengöttinnen und Hathor

Die Horussöhne und die Kanopengöttinnen erscheinen gemeinsam in den beiden
Nebenräumen zum 1. Korridor des Grabes QV 44 und dem letzten Raum von QV
43. Die Horussöhne sind ohne die Kanopengöttinnen im 1. Korridor von QV 55
und im 2. Korridor von QV 43 [2] abgebildet. Die Kanopengöttinnen sind ein
Bestandteil der Szenen des Rücken an Rücken auf seinem Thron sitzenden
Osiris in QV 44 und 42, in den Nebenräumen von QV 44 (nur Isis und Neph-

1) In beiden Fällen wird Ḥr-m-nẖn als Sohn der Isis zu verstehen sein, s.
   M. Münster, Untersuchungen zur Göttin Isis, MÄS 11 (1968), S. 127. Ob
   die Darstellung des Gottes eine Gleichsetzung mit dem verklärten Prinzen bedeutet, ist nicht zu entscheiden.
2) S. die Ausführungen im Abschnitt II/2 c.

thys) und QV 43, letzter Raum (wohl wegen der schmalen Rückwand auf die
Seitenwände gesetzt).

In den Gräbern QV 44, 43, 55 und 53 [1] flankieren Isis und Nephthys die
Laibungen zwischen dem 1. und 2. Raum. [2] Die Laibungen des Durchgangs vom
2. in den 3. Raum werden in QV 43 von Imentjt(𓇋𓏏𓈖) links und Selket
rechts eingenommen; im Grab QV 55 steht dort nur in Vorzeichnung der Name
"Nephthys" an der rechten Seite.

Die Kanopengöttinnen treten weiterhin vereinzelt noch als Gefolge von Göttern auf; in QV 43, Ende des 1.Korridors stehen Isis und Nephthys hinter
Re-Harachte (links) und Selket mit Neith hinter Osiris (rechts), sowie in
QV 44 Neith hinter Re-Harachte (links), ohne daß aus den Beischriften der
Göttinnen eine Funktion ablesbar ist. Die singuläre Darstellung in QV 55
mit der Kombination der Isis und Hathor, zusammen mit den Horussöhnen,
wurde im Abschnitt II,2 c besprochen. Der Zusammenhang der Kanopengöttinnen mit Osiris und ihre wiederholte Verwendung für die Durchgangslaibungen
ist aus den Königsgräbern bekannt. [3]

Meresger

Die stets mit einem Schlangenkopf dargestellte Göttin ist in QV 42 sowohl
im 1. Korridor und auf der Pfeilerseite Ad der Sarkophaghalle, in QV 43
nur in der Sarkophalle vertreten. Nur in QV 43 gibt ihre Beischrift einen
Hinweis auf ihre Funktion als Nekropolengöttin.

Sachmet

Die löwenköpfig, mit der von einer Uräusschlange umschlossenen Sonnenscheibe über ihrem Haupt dargestellte Göttin kommt nur im Grab QV 43 vor. Sie
ist teilweise zerstört und von ihrer Beischrift ist "Es spricht Sachmet,
die Große, geliebt ////" erhalten.

Sachmet gilt als die Gemahlin des Ptah und bildet mit deren beider Sohn Nefertem die Triade von Memphis. Sachmet und Nefertem kommen nur im Grab des
Sethherchepeschef vor. Durch die zusätzliche Aufnahme der Sachmet in das
Bildprogramm im 1. Korridor und ihre Gegenüberstellung zu ihrem Gemahl Ptah
in der ersten Szene, verschiebt sich die folgende Szene derart, daß nunmehr
nicht mehr Ptah-Sokar-Osiris, wie im Grab QV 44, Ptah gegenübersteht und
auch für Geb und Schu tritt eine entsprechende diagonale Verschiebung ein. [4]

1) In QV 53 nur auf der rechten Seite nachzuweisen.
2) Offensichtlich sind Isis und Nephthys in QV 42 ohne ihre Darstellung von
   einem Text ersetzt worden, welcher mit "njnj-machen" beginnt.
3) F. Abitz, König und Gott, S. 111 ff.
4) S. Grabplan, Abb. Nr. 8

Der Sohn Nefertem steht als neue Szene im 2. Korridor nach den Horussöhnen.

Nefertem

Der Gott mit der Atefkrone steht als letzter auf der rechten Seite des 2. Korridors in QV 43, ihm ist nur sein Name beigeschrieben.

Die Seelen von Buto und Hierakonpolis

Die falkenköpfigen Seelen von Hierakonpolis sind links und die schakalköpfigen Seelen von Buto sind rechts auf den Laibungen des Durchgangs zum Nebenraum der Sarkophaghalle von QV 42 abgebildet. Ihnen ist kein Name beigeschrieben, sie sehen in den Nebenraum hinein (!).

Die geflügelte Uräusschlange

Nur im Grab QV 55 ist die geflügelte Uräusschlange mit den vielen Windungen und dem šn-Ring abgebildet. [1] Am Ende des 2. Raumes ist sie jeweils auf die Seitenwände unterhalb der Pfortendarstellungen TB 145 A so gesetzt, daß die Schlange, wie die anderen Gottheiten, zum Grabausgang blickt. Ihre Wiedergabe entspricht der des Königsgrabes von Ramses III., dort sind die sich verbreiternden Seitenwände der Rampe, die aus dem 1. Pfeilersaal in das Grabinnere führt, mit der gleichen Schlange und dem šn-Ring versehen. [2] Der Raum ist ebenfalls mit Pforten, jedoch aus dem königlichen Pfortenbuch, geschmückt. Die Rampe mit den Schlangen führt im Königsgrab weiter in das Grabinnere und somit in die Sarkophaghalle, während im Grab QV 55 des Prinzen Amun(her)chepeschef die undekorierte Sarkophaghalle unmittelbar folgt.

Die Pforten des Totenbuches 145 A

Die Pforten TB 145 A sind in folgenden Gräbern nachzuweisen:

QV 55 - 5. - 9. Pforte [3] im 2. Raum als Korridor gebaut.

QV 44 - 9. -16. Pforte im 2. Korridor.

QV 53 - Fragment eines Pfortentextes, ohne Nummer im 2. Raum als Korridor gebaut.

QV 43 - keine Pforten, im 2. Korridor König und Prinz vor Gottheiten.

QV 42 - keine Pforten, der 2. Raum ist die Sarkophaghalle.

1) Abb. Nr. 5
2) Auf folgende Unterschiede ist hinzuweisen: Die Schlangen bei R.III. tragen zusätzlich eine Feder auf dem Haupt und es ist ihnen Nechbet (links) und Buto (rechts) beigeschrieben, sie blicken in das Grabinnere. Diese Unterschiede können mit dem verfügbaren Raum, d.h. der dreieckigen Fläche der Rampenwange zusammenhängen. Siehe auch die vergleichbare Schlangendarstellung im Grab der Nofertari. "Nofretari's name protected by snake - formed demon" im Abgang zur Sarkophaghalle. G.Tausing/H.Goedicke, Nofretari (1971), Bild 54 und 61.
3) Die Zahl der neunten Pforte ist zerstört, s. Abschnitt I/2.

KV 3   -   keine Pforten, der 2. Raum ist eine undekorierte Halle mit 4
Pfeilern.

In den Königsgräbern gibt es eine Parallele für die Verwendung der Pforten
des Totenbuches. Im Grab der Königin Tausert (KV 14), welches von Ramses
III. für seinen Vater, den König Sethnacht usurpiert worden ist, sind die
Pforten des Totenbuches Spruch 145 A im 2. und 3. Korridor sowie in dem
folgenden Raum, dem 1. Pfeilersaal [1] wiedergegeben. Sie ersetzen bei der
Königin Tausert die zu dieser Zeit den Königen vorbehaltenen Unterweltsbücher: das Amduat, 4. und 5. Stunde im 3. Korridor und das Pfortenbuch, 5.
und 6. Stunde im 1. Pfeilersaal. Die Anordnung dieser Stunden von Amduat
und Pfortenbuch in den genannten Räumen wird in den Königsgräbern seit Sethos I. und letztmalig bei Ramses III. vorgenommen.

Beide königlichen Bücher beschreiben die zwölf Stunden der Nachtfahrt des
Sonnengottes durch die Unterwelt, sie vermitteln eine detailierte Kenntnis
über die Vielfalt der Formen und die Gefahren der Unterwelt. Für den Verstorbenen waren diese Kenntnisse von außerordentlichem Nutzen und so heißt
es unter anderem im Titel des Amduats:

> " Die Schrift des Verborgenen Raumes.
> Die Standorte der Bau und der Götter,
> der Schatten und Achu, und was getan wird."

> "Zu kennen die Unterweltlichen Bau,
> zu kennen die Geheimen Bau,
> zu kennen die Tore
> und die Wege auf denen der Größte Gott wandelt."[2]

Das Pfortenbuch hat diesen, den Nutzen des Buches für den Verstorbenen
beschriebenen Titel nicht. In ihm sind jedoch die zwölf Nachstunden durch
Mauern und Tore getrennt. Die von Schlangen bewachten Tore öffnen sich jeweils für den Sonnengott auf seiner unterweltlichen Fahrt.

Die Sprüche für die Pforten des Totenbuches 145 A behandeln nicht die Unterweltsfahrt des Sonnengottes. Ihr Titel lautet:

> "Anfang der Sprüche, um bei den unzugänglichen Toren des OSIRIS-
> Reiches im Binsengefilde einzutreten". [3]

1) Im Grab der Tausert hat dieser Raum nicht die in den Königsgräbern vorhandenen 4 Pfeiler.
2) E. Hornung, Ägyptische Unterweltsbücher, S. 59. Den Begriff Achu übersetzt E. Hornung:"allg. Bezeichnung der seligen Verstorbenen, die bereits von ihrer Mumiengestalt befreit sind und einen neuen,<<verklär-
ten>> und funktionsfähigen Leib angenommen haben"; für Bau:"das frei be-
wegliche Element der Verstorbenen, auch als selbständige Manifestation
von Göttern oder Toten", S. 520.
3) Titelzitat und folgende Zitate aus: E. Hornung, Totenbuch, S. 281 ff.

Der nichtkönigliche Tote fordert vor jeder Pforte, daß ihm der Weg freigegeben werde: "denn ich kenne dich, ich kenne deinen Namen und kenne den Namen des Gottes, der dich bewacht". Es wird dann vor jeder Pforte der Name des Türhüters genannt und zum Schluß gesagt: "So zieh dahin, denn du bist rein", ab 11. bis 20. Pforte: "Du unterstehst der Inspektion dessen, der den Müden verhüllt". Jede Pforte wird durch einen Wächter, der mit Messern bewaffnet ist, bewacht, welcher zumeist furchterregende Namen trägt, wie "Schrecklicher" (1. Tor), "Der den Übeltäter zurücktreibt" (5. Tor), "Wütender" (9. Tor), "Die das Messer wetzt, um zu sprechen, . . ." (21. Tor).

Die Sprüche des Totenbuches sollen u.a. den Toten befähigen, den Gefahren der Unterwelt zu begegnen und wie im Falle des Spruches 145 A durch Kenntnis der Namen von Tor und Wächtern sowie durch seine kultische Reinheit die Tore zu passieren, um in das Reich des Osiris zu gelangen.

Die ersatzweise Verwendung der Totenbuchsprüche 145 A im Grab der Tausert, anstelle der ihr nicht zustehenden königlichen Bücher, Amduat und Pfortenbuch, ist offensichtlich nicht durch das inhaltliche Thema dieser Bücher bestimmt, d.i. die Unterweltsfahrt des Sonnengottes, sondern durch die textliche und bildliche Parallele der Pforten und ihr Passieren.[1] Entscheidend mag bei der Wahl der Pforten TB 145 A gewesen sein, daß hierdurch ein den Königsgräbern vergleichbares Bildprogramm ermöglicht wurde, welches auch in ihrem Grab in der Osirishalle des Pfortenbuches mündete. [2]

In drei der Prinzengräber sind Teile der Sprüche TB 145 A verwendet worden. Sie wurden nicht als Papyrus in das Grab mitgegeben, sondern auf die Wände des 2. Grabraums in bemaltem Relief angebracht. Es steht auch nicht der Grabinhaber allein, wie üblich, vor den Pforten, sondern der Prinz steht hinter dem König, welcher jeweils vor dem Torhüter mit "gegrüßt seist du König . . ." angesprochen wird.

Die Totensprüche 144: "Spruch, um einzutreten" und 147: "Spruch, die Tore des OSIRIS-Reiches im Westen zu kennen und die Götter, die in ihren Grüften sind. Geopfert wird ihnen auf Erden" [3], sind thematisch mit dem

1) Sicher spielt hierbei auch die ähnliche Ausstattung des Grabes der Nefertari, der großen königlichen Gemahlin Ramses II., mit den Pforten des TB, eine vorbildhafte Rolle.
2) An gleicher Stelle, d.i. die Rückwand des 1. Pfeilersaales ist seit Sethos I., ebenso auch im Grab der Tausert, eine für das Königsgrab umgewandelte Szene aus dem Pfortenbuch, die Osirishalle der 5. Stunde, angebracht. F. Abitz, König und Gott, S. 19, Abb. 9.
3) E. Hornung, Totenbuch, S. 276 und 293.

Spruch TB 145 A vergleichbar, jedoch handelt es sich nur um jeweils 7 Torgebäude, zu denen je zwei Wächter und ein "Anmelder" gehören. Auch die den Torgebäuden in TB 144 und 147 zugeordneten Wächter sind mit Messern bewaffnet und mit furchterregenden Namen versehen. Die mögliche Verbindung der Wächter aus TB 144 und 147 mit den Wächtergottheiten der Sarkophaghalle in den Prinzengräbern des Sethherchepeschef und Paraherwenemef wird im folgenden Abschnitt behandelt.

Die Wächtergottheiten [1)]

Zum besseren Verständnis der Wächtergottheiten werden die Darstellungen aus anderen Gräbern mit herangezogen; das gilt insbesondere für das Königsgrab Ramses III.,in welchem J.F. Champollion und E. Lefébure die Szenen noch vorgefunden haben, die heute fast vollständig zerstört sind.

a) Anubis und der Löwe auf dem Schrein, Nebneri und Herimaat

KV 11, Ramses III.

Von der figürlichen Darstellung des Herimaat und einigen Zeichen seiner Beischrift sind heute noch Spuren am Türanschlag des Eingangs zur Sarkophaghalle zu erkennen.

J.F. Champollion [2)]: "Epaisseur à gauche: ornement ꟾꟾ, audessous un schacal gardien; un lion gardien, tous deux au repos. A droite, ornement ꟾ, dessous un gardien à tête de lion tenant un couteau en arrière; derrière le dieu, figure accroupie et  audessus 

Add. page 749 :
A la page 419,
ligne 19 -
apres << au - dessus >>
rétablir la figure suivante:"

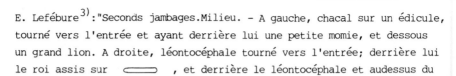

E. Lefébure[3)]:"Seconds jambages.Milieu. - A gauche, chacal sur un édicule, tourné vers l'entrée et ayant derrière lui une petite momie, et dessous un grand lion. A droite, léontocéphale tourné vers l'entrée; derrière lui le roi assis sur ⊂═══⊃ , et derrière le léontocéphale et audessus du

1) Nach Fertigstellung meines Manuskriptes erhielt ich den Artikel von Jehon Grist, The identity of the ramesside Queen Tyti, JEA 71 (1985), S. 71 - 81, der in der Beurteilung der Wächtergottheiten mit dem nachfolgenden Abschnitt übereinstimmt.
2) J.F. Champollion, Not. Descr. I, S. 419 u.749.
3) E. Lefébure, Hypogées Royaux, S. 108 f.

roi, en grosses lettres 🝰 (Champollion, 749: là le support du roi est à tort carré)".

<u>QV 44, Chaemwese</u>

Linke Eingangswand der Sarkophaghalle: Anubis auf dem Schrein und der Löwe auf dem Schrein, untereinander abgebildet; Anubis mit dem sḥm-Szepter vor sich und der Geissel am Rücken. Der Löwe hat die rechte über die linke Pfote geschlagen. Vor den beiden Figuren ist eine senkrechte Beischrift: "Es spricht Anubis, der in der Umwicklung ist (zu) König Osiris, Herr Beider Länder (1) , Sohn des Re, Herr der Diademe (2) , von Osiris, Herr des Unabsehbaren, Herrscher der Ewigkeit, dem großen Gott geliebt":

Rechte Eingangswand: Nebneri und Herimaat mit den Beischriften:

Abbildung Nr. 20
Nebneri und Herimaat in QV 42

<u>QV 43, Sethherchepeschef</u>

Linke Eingangswand der Sarkophaghalle: Anubis auf dem Schrein mit dem sḥm-Szepter vor sich und der Geissel am Rücken, darunter sind nur noch Kopf, Brust und Rücken des liegenden Löwen zu erkennen, der untere Teil mit dem Schrein ist zerstört. Hinter Anubis steht in senkrechter Schreibung:

Vor beiden Darstellungen steht ebenfalls in senkrechter Schreibung: "Osiris, Wagenlenker seiner Majestät des großen königlichen Stalls (l ⟩ ▨≡▨ .

Rechte Eingangswand: Nebneri und Herimaat. Der löwenköpfige Nebneri und der Gott Herimaat sind in gleicher Haltung wie in QV 44 abgebildet. Die Abweichungen bestehen darin, daß Herimaat eine Uräusschlange an der Stirn trägt und sein Sitz ⌣ geformt ist. Die Beischriften lauten:

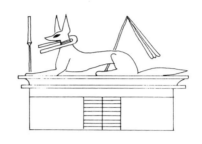

Abbildung Nr. 21
Anubis und der Löwe auf dem Schrein in QV 44

QV 42 Paraherwenemef

Linke Eingangswand der Sarkophaghalle: Anubis auf dem Schrein mit dem s̲ḫm-Szepter vor sich und der Geissel am Rücken ist sehr zerstört und es ist keine Beischrift erhalten. Die Darstellung ist eine antike Restauration und stimmt wahrscheinlich nicht mit der ursprünglichen Ausführung für den Prinzen überein. [1] Die Darstellung des Löwen auf dem Schrein fehlt.

Rechte Eingangswand: Nebneri und Herimaat. Die beiden Gottheiten sind

1) Siehe die Ausführungen unter I,5.

in der gleichen Haltung wie in QV 44 abgebildet [1] der Sitz des Herimaat ist wie in QV 43 geformt. Die Beischriften lauten:

[hieroglyphs]   [hieroglyphs]

QV 40, Königin ohne Namen

Linke Eingangswand des 2. Raumes (2. Raum innerhalb der Grabachse): Anubis und der Löwe, jeweils auf dem Schrein, wie in den vorbesprochenen Gräbern. Die Vorderteile beider Figuren sind zerstört. Weder sind Beischriften erkennbar, noch ist festzustellen, ob Anubis ein sḫm-Szepter vor sich hatte.

Rechte Eingangswand: vollständig zerstört.

QV 52, Königin Titi [2]

Linke Eingangswand der Sarkophaghalle: Anubis und der Löwe auf dem Schrein sind wie in QV 44 in 2 Registern angeordnet. Über der Darstellung steht:

[hieroglyphs]

Rechte Eingangswand: Nebneri und Herimaat in der gleichen Darstellung wie in QV 44, jedoch sitzt Herimaat auf einer Binsenmatte [hieroglyphs] . Quer über der gesamten Darstellung steht:

[hieroglyphs]

Zusätzlich steht über Nebneri:

[hieroglyphs]
[hieroglyphs]

B. Bruyère [3] weist für Nebneri auf den Türhüter der 1. Pforte des Totenbuches 145 "Schrecklicher" hin, der allerdings geierköpfig dargestellt wird. Für Herimaat schlägt er "celui qui repose sur la vérité", "der in der Maat ruht" vor.

Einen Hinweis auf die Bestimmung der Gottheiten gibt ihre Position im Eingang zur Sarkophaghalle im Grab Ramses III. In den Prinzen- und Königsgräbern sind die großflächigen Türanschläge, wie sie im Königsgrab gegeben

1) Text B. Bruyère, Neb-nerou et Hery-Mâat, CdE 27 (1952), S. 31-42.
2) Textabschriften aus G. Bénédite. Le Tombeau de la reine Thiti, Mem. Miss. V, S. 381-412.
3) B. Bruyère, Neb-nerou et Hery-Mâat, CdE 27 (1952) S. 31-42.

sind, nicht vorhanden und es fehlen die geeigneten Wände, um die Gottheiten unmittelbar in den Zugang zur Sarkophaghalle zu setzen. Es wurde offensichtlich auf die Eingangswände ausgewichen. Aus dieser Position ergibt sich ihre Bestimmung als "Wächtergottheiten der Tore zur Sarkophaghalle", wie gleichermaßen das Bild vom Sarkophag des Psusennes [1] ihre Torwächtersituation anschaulich zeigt. [2]

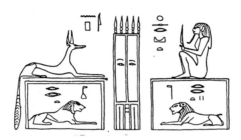

Abbildung Nr. 22
Teilansicht des Sarkophages von Psusennes

b) Die Wächtergottheiten an den Wänden der Sarkophaghallen

Ramses III.

Fast alle der in den Prinzengräbern vorkommenden und nachstehend aufgeführten Wächtergottheiten sind in der Sarkophaghalle Ramses III. abgebildet gewesen. Sie sind heute vollständig zerstört. Nur ihre Schreine, von denen Reste der oberen Teile erhalten sind, zeigen an, daß ihre Darstellung in den Raumecken begann und sich zumeist über den Durchgängen zu den Nebenräumen fortsetzte. Die Gottheiten können demnach nicht als Schutzgötter für die Nebenräume verstanden werden, wie uns die nicht korrekte Wiedergabe bei E. Lefébure [3] vermittelt. Die Aufteilung bei Ramses III. ist in der Sarkophaghalle wie folgt:

1) J. Leclant, Les Génies-gardiens de Montouemhat, Drevnij Mir (1962), S. 105.
2) Eine Untersuchung der "Wächtergottheiten" ist nicht beabsichtigt, es wird deshalb auch nicht auf das von J. Leclant vorgelegte Material eingegangen.
3) E. Lefébure, Hypogées Royaux, S. 58.

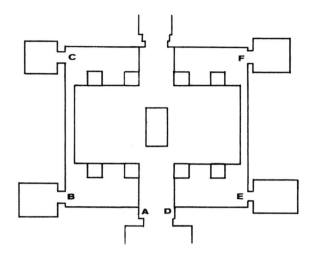

C = Gruppe ḥmm.t

B = Affe und 2 sitz.
    Paviane

C = Anubis u. Löwe
    auf dem Schrein

F = sitz. Schakal
    u. stehender Löwe

E = sḫm-Szepter mit
    falk.köpf. und
    ibisköpf. Gestalt,
    hockend

D = Nebneri u. Herimaat

Abbildung Nr. 23
Sarkophaghalle Ramses III.

Hierzu liegen folgende Angaben vor:

"Paroi gauche. Avant la voûte:
(La douzième chambre annexe s'ouvre dans cette paroi). Au dessus de la
porte de la chambre annexe, dans un édicule ainsi fait deux singes assis
et un singe debout".

"Paroi droite. Avant la voûte:
Porte des la 14ᵉ chambre annexe ayant au dessus l'édicule à 𝄢 , qui con-
tient ici un 𝄡, une momie hiéracocéphale, et une momie ibiocéphale assi-
ses". [1]

1) E. Lefébure, Hypogées Royaux, S. 109.

Abbildungen:

"Paroi gauche. Après la voûte".   "Paroi droite. Après la voûte".

Abbildung Nr. 24
Wächtergottheiten in der Sarkophaghalle Ramses III.

In zwei der Prinzengräber und einigen Königinnengräbern sind Teile aus
diesem Bildprogramm der Wächtergottheiten enthalten.

QV 43 - Sethherchepeschef

Die drei Figuren der Gruppe ḥmm.t stehen in der Sarkophaghalle an der
gleichen Stelle wie im Grab von Ramses III., d.h. in der linken hinteren
Ecke des Raumes, zum Grabausgang ausgerichtet. Wie bei der folgenden Gruppe des Affen und der zwei Paviane ist der untere Teil zerstört und es ist
nicht festzustellen, ob die Figuren auf dem Schrein gesessen haben. Die
Anordnung entspricht dem Bild aus dem Grab QV 42, mit folgenden Abweichungen: der leichte Schreinoberbau fehlt, der Geier trägt kein Messer, die
Messer zu Füßen des Nilpferdes fehlen. Die Beischrift lautet: [1]

Die Szene mit dem Affen und den zwei Pavianen befindet sich auf der linken
Rückwand der Sarkophaghalle und ist auf den Durchgang zum 4. Raum ausge-

1) Das letzte Zeichen ist von den drei ersten Zeichen abgesetzt wie in
   QV 42.

richtet. Sie steht damit an anderer Stelle als im Grab Ramses III. Ob die
Verlagerung der Szene damit zusammenhängt, daß der Rauchopfer spendende
König zu Beginn der linken Seitenwand Vorrang hatte, ist nicht festzustellen, da der Raum für die Szene durch den Durchgang zum Nebenraum möglicherweise zu schmal geworden war.

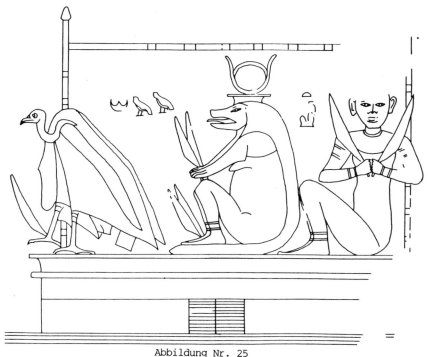

Abbildung Nr. 25
Die Gruppe ḥmm.t in QV 42

QV 42, Paraherwenemef

Die Einteilung der Wächtergottheiten in der Sarkophaghalle entspricht
weitgehend der des väterlichen Grabes, Ramses III. Demnach steht die Gruppe ḥmm.t am Ende der linken Seitenwand und der Szene gegenüber ist die
Gruppe mit dem stehenden und einem Messer versehenen Löwen, dahinter
hockt der schakalköpfige Gott mit zwei Messern vor sich. Die beiden Gottheiten sind demnach gegenüber der Reihenfolge bei Ramses III. vertauscht,
stehen jedoch ebenfalls auf einem Schrein, eine Beischrift ist nicht vorhanden.

Von der Gruppe des Affen und der beiden Paviane ist nur ein in Male-

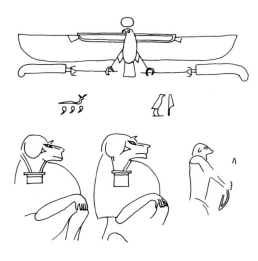

Abbildung Nr. 26
Die Gruppe Affe und Paviane in QV 43 [1]

rei ausgeführter, im Oberteil zerstörter Pavian erhalten, der wahrscheinlich nach der antiken Restaurierung der Wand [2] für die ganze Szene stehen
sollte. Der Pavian sitzt auf einer Maat-Basis, ein Teil des Messers und
der Beischrift ⌐🔲⌐ ist noch von der ursprünglich für Paraherwenemef gearbeiteten Ausführung verblieben.

Die stark zerstörten Figuren der linken Hälfte der Eingangswand gehören
zu der gleichen Gruppe wie im Grab Ramses III. und im Königinnengrab QV 40
(Abb. Nr. 27).

Es sind im Grab des Paraherwenemef demnach alle Gottheiten in vergleich-
barer Verteilung wie im Grab Ramses III. vorhanden. Das Grab zeigt jedoch
an der linken Seitenwand eine zusätzliche Wächterfigur, kuhköpfig mit Messern in einem Schrein sitzend, die in keinem anderen Grab vorkommt (Abb.
Nr. 28).

1) Zusätzlich zu ihrem Artikel "Atum als Bogenschütze", MDAIK 14 (1956),
   S. 20-28, hat mich Frau Professor Dr. Brunner-Traut freundlicherweise
   darauf hingewiesen, daß der Affe=Meerkatze manchmal einen nicht schuß-
   bereiten, sondern mit abgespannter Sehne, lose nach unten getragenen
   Bogen hält. Diese Darstellung scheint in den von mir bearbeiteten Gräbern gegeben zu sein. Auch wenn der Affe kein Messer trägt, würde ich
   in ihm, in der Kombination mit den mit Messern bewaffneten Pavianen,ein
   Abwehrmittel gegen Feinde sehen.
2) S. Ausführung zu den antiken Restaurierungsarbeiten, Abschnitt I/5.

Abbildung Nr. 27
Wächtergottheiten

in QV 40

in QV 42

QV 40, Königin ohne Namen

In diesem Grab sind, außer der bereits behandelten Gruppe Anubis und dem
Löwen auf dem Schrein, noch folgende Wächtergottheiten vorhanden:

Linke Eingangswand (hinter Anubis/Löwe auf dem Schrein):
Je eine falkenköpfige und ibisköpfige hockende Gottheit mit dem sḫm-Szepter vor sich (s. Abb. Nr. 27), keine Beischrift.

Ende der linken Seitenwand:
Ein Affe mit Bogen, über ihm 𓏤 (sic), dahinter zwei hockende Paviane,
die Gruppe sitzt in einem mit der ḥkr-Borte bekrönten Schrein auf der
Maat-Basis und blickt zum Grabausgang.

Am Ende der rechten Rückwand:
Die Gruppe ḥmm.t in einem mit der ḥkr-Borte bekrönten Schrein sitzt auf
der Maat-Basis und ist auf die Wandecken ausgerichtet. Das hockende Nilpferd, ohne Kuhgehörn und Sonnenscheibe und der Gott en face tragen Messer;
Beischrift: 𓂝𓃀𓃀𓏏 .

Abbildung Nr. 28   kuhköpfige Wächtergottheit in QV 42

QV 38, Königin Satre

Die Zuschreibung der Satre als königliche Gemahlin Ramses I.[1] würde vor-
aussetzen, daß bereits zur Zeit Ramses I. die beiden Gruppen ḥmm.t und der
Affe mit den Pavianen in einem Grab Verwendung fanden. In den Königsgräbern ist die Verwendung dieser Wächtergottheiten erst mit Ramses III.
nachzuweisen. In keinem der zeitlich vorangegangenen Königsgräber, auch
nicht in dem von Merneptah, konnte ich Spuren einer entsprechenden Dekoration entdecken.

Im Grab der Satre, welches nur in skizzenhafter Malerei ausgeführt und

1) E. Thomas, Necropoleis, S. 213.

teilweise zerstört ist, läßt sich noch folgendes erkennen:
Ende der linken Seitenwand: [1)]
Ein Affe und zwei Paviane im Schrein, ohne Bogen oder Messer, zum Grabaus-
gang gerichtet.
Ende der rechten Seitenwand:
Die Gruppe ḥmm.t, Messer konnte ich nicht eindeutig identifizieren; der
Gott en face scheint eine Perücke zu tragen, darüber ⌐, die Gruppe ist
zum Grabausgang ausgerichtet.
Rechte Eingangswand:
Ob die dort dargestellte Gruppe eines löwenköpfigen (?) Gottes davor ein
schakalköpfiger Gott, beide im Schrein, der Gruppe in der rechten hinteren
Ecke der Sarkophaghalle von Ramses III. entspricht, ist bei dem vorliegen-
den Erhaltungszustand der Gruppe ohne eine weitere Untersuchung nicht zu
entscheiden.

QV 52, Königin Titi [2)]

Die Darstellung der Gruppe ḥmm.t (rechts) und der Gruppe des Affen mit dem
Bogen sowie die zwei Paviane im Grab der Titi befinden sich auf der linken
Seitenwand, so daß beide Gruppen auf den Durchgang zum linken Nebenraum
blicken. Die Einteilung entspricht somit der des Grabes Ramses III. Die
Gruppe ḥmm.t sitzt auf einem Schrein und in einem mit ḥkr-Borte bekrönten
Naos. Das Nilpferd und der Gott en face tragen jeweils zwei Messer. Die
Beischrift lautet:

Der Affe trägt einen Bogen und die Paviane Pektorale. Sie sitzen auf einem
Schrein, jedoch ist kein Naos vorhanden. Ihre unmittelbare Beischrift lautet: . Über ihnen ist ein weiterer Text in acht Kolumnen angeordnet: "Gegeben durch die Gunst des Königs" es folgt der Titel, der Name,
"die selig ist".Der folgende Text bezieht sich auf das Osiristribunal, in
welchem die Königin vor der Götterneunheit und der Waage sich im Zustand
der Maat erklärt.
Auf der den beiden Gruppen gegenüberliegenden und korrespondierenden Wand
werden Wächter und Pforten aus dem Totenbuch 145 A dargestellt. Sie tragen
Messer. Ihnen ist beigeschrieben:

"//// der Pforte der Schetit"

1) Es ist der einzige dekorierte Raum.
2) Abbildungen und Texte bei G. Bénédite, Mem.Miss. V, S. 381-412.

Im rechten Nebenraum zur Sarkophaghalle der Königin Titi finden sich weitere Torwächter. Die drei Wächter, schakal-, schlangen- und krokodilköpfig,
der linken Seitenwand sprechen u.a.:
"Es sprechen alle Götter der Pforten, die in der Unterwelt sind. Öffnen
der großen Türflügel ////".
Den drei Wächtern der rechten Seitenwand, krokodil-, ibis- und falkenköp-
fig, ist u.a. beigeschrieben:
"Es sprechen alle Götterneunheiten der Dat. Der große Gott Nebneri, der
große Gott ////".

c) Die Bedeutung der Gottheiten

Die Wächtergottheiten in den Prinzengräbern sind offensichtlich eine Übertragung von Szenen aus der Sarkophaghalle des Königsgrabes von Ramses III.
Anubis und der Löwe auf dem Schrein sowie die Gruppe Nebneri und Herimaat
sind in allen aufgeführten Gräbern so angeordnet, daß an ihrer Bestimmung
als Wächtergottheiten zum Schutz der Tore zur Sarkophaghalle kaum Zweifel
bestehen können.

Innerhalb der Sarkophaghalle von Ramses III. sind die Gottheiten so angeordnet, daß sie von den vier Raumecken aus die Sarkophaghalle zu schützen
scheinen oder mit ihren Messern bewachen. Gleichermaßen sind in den Prin-
zen- und Königinnengräbern ihre Darstellungen in den Raumecken der Sarkophaghallen zu finden. Die einzige Ausnahme ist im Grab QV 42, Paraherwenemef vorhanden. Die kuhköpfige Wächtergestalt befindet sich in der Mitte
der linken Seitenwand, d.h. im 2. Abschnitt der dreigeteilten Deckenwöl-
bung, welche vielleicht als gesondertes Raumteil zu werten ist. Das gesamte vorliegende Material deutet deshalb auf eine Schutzfunktion für die
Sarkophaghalle und nicht auf einen Schutz von Nebenräumen hin.

Hinweise auf die Schutz- oder Wächterfunktion der Gruppen werden durch die
Beischriften im Grab der Titi gegeben. In späterer Zeit werden die Gruppen
ḥmm.t und Affe/Paviane mit anderen Gruppen auf Sarkophagen dargestellt. In
zwei Fällen ist die dort verwendete Beischrift mit einem Torwächtergott
identisch.

Gruppe ḥmm.t: Gott en face ⌀𓏏𓏏𓏏 "Der von den Würmern lebt."[1] TB 144,
    5. Tor,"<<Der von Würmern lebt>> ist der Name des Wächters
    vom fünften Tor, <<Der Nilpferdgesichtige mit rasender Wut>>
    ist der Name dessen, der in ihm anmeldet". [2]

1) Sarkophag C 29301 im Museum Cairo.
2) E. Hornung, Totenbuch, S. 277; so auch TB 147, 5. Tor, S. 296.

Gruppe Affe/Paviane: zu einem Pavian ⌐ u.a., entspricht ⌐ = Namen eines Torwächters im Jenseits (WB IV, 266).[1]

Eine auffällige Identität ist zwischen

der Abbildung der im Grab des Paraherwenemef vorhandenen kuhköpfigen Wächtergottheit (Abb. 28)

und der auf der Ostwand der Sarkophaghalle der Nefertari dargestellten Wächterfigur mit Stierkopf (s. TB 145 A),4. Tor

festzustellen. Den Text zum 4. Tor gibt H.Goedicke wie folgt an:

"Fourth Door: Mighty of knive, Mistress of the two Lands, who destroys the enemies of the Wearyhearted One, who fulfills wishes, free of wrongdoing. The name of her doorkeeper-Slayer of the Foe". [2]

Hiernach kann kaum noch ein Zweifel bestehen, daß es sich bei den vielfältigen Gruppen um mit Messern bewaffnete Gottheiten handelt, die die Sarkophaghallen beschützen oder bewachen. Die Verbindung zu den Torwächtern der Pforten aus dem Totenbuch läßt es möglich erscheinen, daß die Gruppen aus dem Inneren der Sarkophaghalle Ramses III. die Darstellung der Pforten 145 A in den Prinzengräbern ersetzen. Es ist auffällig, daß sie nur in den Gräbern QV 43 und 42 auftreten, die nicht mit den Pforten 145 A ausgestattet sind. [3]

1) J. Leclant, Drevnij Mir (1962), S. 119 f.
2) G. Thausing/H. Goedicke, Nofretari (1971), Bild 82.
   s. auch E. Hornung, Totenbuch, S. 283.
3) Dieses gilt nicht für die Wächter des Eingangs zur Sarkophaghalle, sie sind auch in QV 44 und wahrscheinlich auch in QV 53 vorhanden.

III. V E R G L E I C H E N D E   W E R T U N G   U N D   Z U S A M M E N -
F A S S U N G

1. Vergleiche zwischen den Prinzengräbern

Die Prinzengräber stimmen einerseits in einer Fülle von Einzelheiten
überein, andererseits gibt es eine Vielzahl von unterschiedlichen Gestaltungen. Dieses gilt auch für die Architekturmerkmale:

4 Gräber beginnen mit einem Korridor: QV 44, 43, 42, KV 3.
2 Gräber beginnen mit einem Raum: QV 55, 53.
In 4 Gräbern ist der 2. Raum ein Korridor: QV 44, 55, 53, 43.
In 2 Gräbern ist der 2. Raum eine Pfeilerhalle: QV 42, KV 3.
Nebenräume gehen vom 1. Korridor ab: QV 44, 55, KV 3.
Nebenräume gehen vom 2. Korridor ab: QV 44, [1], 55, 53.
Nebenräume gehen von der Sarkophaghalle ab: QV 53, 43, 42, KV 3 [2].
Die Decken von Räumen sind in folgenden Gräbern gewölbt:
QV 44: 2. Korridor, gewölbt längs der Grabachse,
QV 53: 1. Korridor, gewölbt längs der Grabachse,
QV 42: Sarkophaghalle, dreifaches Gewölbe quer zur Grabachse,
KV 3: Pfeilerhalle, gewölbt längs der Grabachse.

Korridorbreiten [3]:

QV 43, 53, 55	181 - 185 cm
QV 44	212 cm
QV 42	236 cm
KV 3	273 cm [4]

Die stichprobenartige Überprüfung hat ergeben, daß in einigen Fällen
die Maße aus den Prinzengräbern mit der Königselle übereinstimmen.
Die Gräber sind jedoch in keinem Fall als in königlichen Maßen gebaut
anzusehen.

Die unterschiedliche architektonische Gestaltung der Prinzengräber
hat zu der Vermutung geführt, daß es sich nicht bei allen Gräbern um
eigens für die Söhne Ramses III. gearbeitete Grabanlagen handele,
sondern daß es sich um teilweise begonnene oder gänzlich usurpierte
Gräber handelt, wohlmöglich auch um Gräber, die "auf Vorrat", also
nicht speziell für Prinzen angelegt wurden. Die genannten Möglichkei-

1) Begonnen, nicht fertiggestellt.
2) Es ist nicht sicher, daß die Pfeilerhalle als Sarkophaghalle vorgesehen war.
3) Maße von E. Thomas, Necropoleis, S. 219.
4) Eigene Vermessung.

ten sollen nicht gänzlich ausgeschlossen werden, jedoch ist sicher, daß im Bildprogramm individuelle Gestaltungen durchgeführt worden sind. Eine gewollte individuelle Architekturgestaltung ist hiernach ebenso in Betracht zu ziehen. Insbesondere geben die bekannten Königinnengräber dieser Zeit keinen geeigneten Aufschluß darüber, ob die Prinzengräber urspünglich begonnene oder usurpierte Königinnengräber waren. Das der Zeit Ramses IV. zugeschriebene Grab QV 74 beginnt mit einer von 2 Pfeilern getragene Halle [1], das Grab der Titi, welches unstreitig Übereinstimmungen mit den Prinzengräbern im Bildprogramm aufweist, endet nach dem 1. Korridor in einer kleinen Halle ohne Pfeiler. Lediglich das unvollendete Grab QV 41 entspricht in seiner Architektur den Prinzengräbern QV 44 und 43 annähernd, wie bereits E. Thomas [2] festgestellt hat.

Die Vermutung über die Usurpierung von Gräbern zugunsten der Prinzen ist auch auf die Szene der Königin vor Osiris im Grab QV 42 zurückzuführen. Die Untersuchung hat jedoch ergeben, daß eine Königinnenbestattung nach der Fertigstellung des Grabes für Paraherwenemef angenommen werden muß.Die oben behandelten Fragen sind deshalb von Bedeutung, weil an die Vermutung der Usurpierung vorhandener Gräber, die Folgerung geknüpft wurde, daß die Zeit von 70 Tagen reichte, um in vorhandenen Gräbern das aufgefundene Bildprogramm für die vor Ramses III. gestorbenen Prinzen auszuführen.

Eine ähnliche, einerseits übereinstimmende,andererseits unterschiedliche Gestaltung kann ebenfalls im Bildprogramm der untersuchten Prinzengräber festgestellt werden.
Die Übereinstimmungen innerhalb der Gräber beziehen sich insbesondere auf den König und die Stellung des Prinzen zu seinem Vater. Der König tritt in den Prinzengräbern stets mit der gleichen Titulatur auf. Der Prinz folgt dem König als Wedelträger und es ist nur der König, der von den Göttern angesprochen wird oder der die Götter anspricht. Offensichtlich sind alle Gräber und eine Anzahl von Räumen dem Prinzen vom König zugeeignet worden. Insoweit sind die Prinzengräber in diesen wesentlichen Teilen des Bildprogramms gleich.

In den Räumen, in denen der unmittelbare Verkehr des Prinzen mit den Göttern erfolgt [3] handelt es sich offensichtlich um einen Zusammenhang mit der Verklärung des Prinzen. In drei der Gräber werden die Prinzen mit den

1) Vergleiche hierfür die ähnliche Bauform von QV 75 und 40.
2) E. Thomas, Necropoleis,S.220. Ob QV 41 evtl.als Prinzengrab geplant gewesen ist, kann nicht festgestellt werden.
3) QV 44: Nebenräume zum 1. Korridor; QV 43: letzter Raum des Grabes.

Horussöhnen verglichen, d.i. QV 44, 55 und 43, dieses gilt wohl auch für QV 42 durch die Szene mit Harsiesis und Osiris. In drei Gräbern, QV 44, 43 und 42 ist die Szene mit dem Rücken an Rücken sitzenden Osiris vorhanden, welche entsprechend den Beischriften und ihrer Ausstattung auch die vergöttlichte Erscheinungsform des Königs beinhaltet. Die Gräber QV 55 und KV 3 sind in der Sarkophaghalle nicht dekoriert worden, das Grab QV 53 kann über diese Szenen wegen der Zerstörungen keine Erkenntnis vermitteln. Die weitgehende Analogie des Bildprogramms dieser Gräber zu QV 44, 43 und 42 läßt erwarten, daß diese Szenen ebenfalls geplant gewesen sind.

Auffällige Unterschiede, aber auch Gleichartigkeiten gibt es im übrigen Bildprogramm der Gräber. Hierzu folgende kurze Zusammenfassung:

1. Korridor:
   Ptah ist in allen 6. Gräbern der 1. Gott der linken Seitenwand,
   in QV 55 zusätzlich mit Ptah-Tatenen verbunden und
   in QV 44 und 43 Ptah-Sokar-Osiris gegenübergestellt.
   Geb und Schu sind in QV 44, 53, 43 und wahrscheinlich in QV 42 vorhanden.
   Thot erscheint in QV 44 (in Verbindung mit Anubis),
   in QV 55 hinter dem König,
   in QV 42, und KV 3 , fehlt jedoch in QV 43.
   Re-Harachte/Atum oder Re-Harachte/Osiris sind in QV 44 und 43 die Endszenen im 1. Korridor,
   in QV 42 ist es nur Atum.
   Anubis, Sachmet und Meresger sind in dieser Form nicht einzuordnen und bilden einen weiteren Teil der Unterschiedlichkeiten.

2. Korridor:
   Das Totenbuch 145 A ist in QV 55, 44 und 53 vorhanden;
   QV 43 zeigt den König und Prinzen vor den Göttern;
   KV 3 und QV 42 haben keinen 2. Korridor.

Sarkophaghalle:
   Die Wächtergottheiten des Eingangs, Nebneri/Herimaat und Anubis/Löwe auf dem Schrein sind vorhanden in QV 44, 43, 42 und wahrscheinlich auch in QV 53 (Fragment).
   Die Wächtergottheiten in der Halle gibt es in QV 43 und 42; sie sind demnach nur nachweisbar in den Gräbern ohne TB 145 A im 2. Korridor.

Unterschiedlichkeiten in der Sarkophaghalle:
   QV 44: Das Geleit zu Osiris durch Thot/Horus-ḫntj-ḫtj und die Götter

Harsiesis und Schepsi.

QV 43: Re-Harachte und Meresger; die hockenden Gottheiten im 4. Raum.

QV 42: Anubis, ferner die Pfeiler mit dem König und den Göttern.

Die Zusammenstellung der Gleichartigkeiten und Unterschiede im Bildprogramm zeigt, daß den Gräbern eine einheitliche Konzeption vorgegeben war, die in vielfältiger Weise variiert worden ist und damit offensichtlich eine individuelle Gestaltung der einzelnen Gräber, bei Einhaltung einer gleichartigen religiösen Aussage gewollt war.

<u>2. Vergleiche zwischen den Prinzen- und Königinnengräbern</u>

Für Parallelen zu den Prinzengräbern ist das Grab QV 52 der Königin Titi häufig herangezogen worden. Besonders im Bildprogramm sind Übereinstimmungen zu den Prinzengräbern festzustellen. Nur die für diese Arbeit wesentlichen Merkmale werden nachstehend behandelt; eine Analyse des Bildprogramms von QV 52 ist weder beabsichtigt, noch liegt sie im Bereich der Untersuchungen. Die Grundlage für den Vergleich ist die Arbeit von G. Bénédite [1] und der nachfolgende Grundriß. [2]

Die Bauart des Grabes mit 1 Korridor und folgend der Sarkophaghalle, von welcher 3 Nebenräume abgehen, entspricht keinem der Prinzengräber. Die von E. Thomas [3] angegebene Korridorbreite von 261 cm ist erheblich größer als die der Prinzengräber (Ausnahme KV 3 mit 273 cm).

Ein Zueignungstext des Königs ist offensichtlich am Grabeingang nicht vorhanden gewesen [4], steht jedoch in der Schriftleiste unterhalb der Decke im 1. Korridor.

Auf den ersten Blick scheint das Bildprogramm des Grabes der Königin Titi dem der Prinzengräber sehr ähnlich zu sein. Der Zueignungstext des Königs und die Göttin Maat zu Beginn des Grabes sowie die Gottheiten des 1. Korridors stimmen weitgehend mit QV 44 und 55 überein; die Wächtergottheiten der Sarkophaghalle wiederholen sich in den Gräbern QV 43 und 42 und selbst der letzte Raum im Grabe der Titi mit der Wiedergabe des Osiris und den in zwei Registern angeordneten, hockenden Göttern scheint in der äußeren Gestaltung eine Kopie des gleichen letzten Raumes des Grabes QV 43 zu sein.

Bei aller vermeintlicher Ähnlichkeit im Bildprogramm sind jedoch die reli-

1) G. Bénédite, Mem. Miss V., S. 381-412.
2) Abb. Nr. 29.
3) E. Thomas, Necropoleis, S. 219.
4) G. Bénédite, Mem. Miss. V., S. 395.

Schematische Darstellung des Bildprogramms, Königin Titi, QV 52

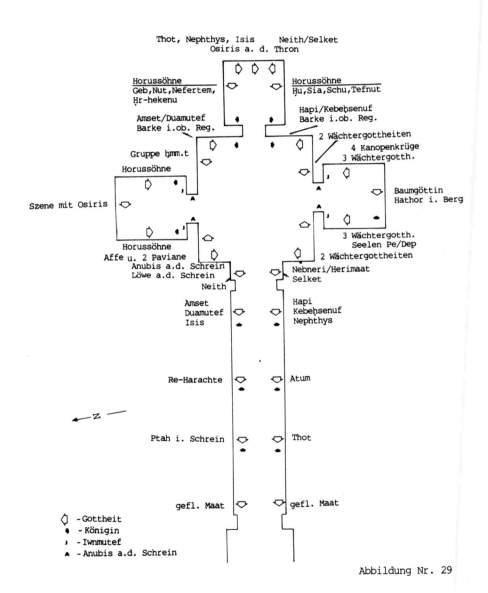

Abbildung Nr. 29

giösen Inhalte unterschiedlich. Abgesehen davon, daß der in allen 6 Prinzengräbern ständig vor dem Grabinhaber, dem Prinzen, abgebildete König
fehlt, ist auch die in den Prinzengräbern vorkommende Doppelform des Osiris, die gleichzeitig eine Erscheinungsform des Königs ist, im Grab der
Titi nicht vorhanden. Das "Schlußbild" in ihrem Grab, sowohl des linken
als auch des in der Grabachse liegenden Nebenraumes zur Sarkophaghalle
zeigt Osiris auf dem Thron, nicht seine Doppelform. In den Prinzengräbern
enthalten die Zueignungen der Götter an den König keine der in QV 52 der
Titi gegebenen Zueignungen, wie Opferspeisen, das Öffnen der Tore der Unterwelt, das Herausgehen aus der Nekropole, insbesondere nicht die Anspielung an das negative Schuldbekenntnis vor dem Totengericht, welches in ihrem Grab vorkommt. [1] Hingegen stimmen die Zueignungssprüche der Götter in
den Prinzengräbern mit denen des Königsgrabes Ramses III. überein. Damit
finden sich die das Bildprogramm und die Texte der Prinzengräber so be-
stimmenden königlichen Elemente im Königinnengrab QV 52 nicht.

Die Königinnengräber QV 38 und 40 enthalten zwar Teile der Wächtergottheiten und QV 40 die Darstellung des Ḥr-m-nḫn, jedoch sind sie, wie die anderen Königinnengräber im Bildprogramm und ihrer Bauart den Prinzengräbern
nicht ähnlich.

3) Vergleiche zum Königsgrab Ramses III.

Wie ein Vergleich der Wandbilder erkennen läßt [2], tritt der König in den
Prinzengräbern in der gleichen Form wie in seinem eigenen Grab auf, d.h.
sein Bild und die ihm zugeordneten Texte stimmen überein. Das jeweilige
"Schlußbild" der Sarkophaghallen der Prinzengräber mit dem Rücken an Rük-
ken sitzenden Osiris und das "Schlußbild" des 1. Pfeilersaales im Königsgrab scheint wesensgleich, denn beide Formen des "Schlußbildes" zeigen die
Identifizierung des Königs mit Osiris. [3] Wie die Übertragung des "Schlußbildes", der Osirishalle aus dem 1. Pfeilersaal des Königsgrabes in die
Prinzengräber, zeigen weitere Szenen offensichtliche Übernahmen aus dem Königsgrab an. So gibt es u.a. zahlreiche Übereinstimmungen; zum Beispiel:
- die Pforten aus TB 145 A in QV 44, 55 und 53 im 2. Korridor;

1) G. Bénédite, Mem. Miss. V., S. 403; vergleichbar ist allenfalls die
   Textstelle aus dem unter der Decke umlaufenden Textes aus dem Grab des
   Sethherchepeschef, Sarkophaghalle, Ostseite: "Ich bin beschützt durch
   die beiden Arme des Anubis vor der Götterneunheit, die in der Dat ist",
   s. Abschnitt I,4, S. 36 f.
2) Vergleiche Abb. Nr. 1 aus dem Grab d. Chaemwese mit Abb. Nr. 17,
   linke Seite, Osirishalle , Grab Ramses III.
3) Abb. Nr. 17 und Abb. Nr. 14 - 16.

im Königsgrab sind es die Pforten des königlichen Pfortenbuches im 1.
Pfeilersaal,

- die in QV 55 am Ende und unterhalb der Pforten gezeigten Schlangen mit
dem šn-Ring; sie entsprechen den Schlangen der Königsgräber an den Seiten
der Rampen im 1. Pfeilersaal,
- die Götter Thot und Horus-ḫntj-ḥtj in der Sarkophaghalle von QV 44; sie
entsprechen den Göttern des Osirisgeleites im Königsgrab, im Nebenraum
zum 1. Pfeilersaal.

Die Zueignungen, welche die Gottheiten dem König in den Prinzengräbern geben und diejenigen des Königsgrabes sind inhaltlich gleich. Durch die Zerstörungen des unteren Wandbereiches sind in den Prinzengräbern viele der
Beischriften verloren gegangen. In den erhaltenen, etwa 20 Götterzueignun-
gen, die jeweils mit "ich habe dir gegeben" beginnen, handelt es sich aus-
schließlich um diejenigen Themen, die ebenfalls im Königsgrab vorkommen:
ḥb-sd-Feste in großer Zahl; die Königsherrschaft;den Süden und den Norden
unter die Sandalen gegeben; die Lebenszeit des Re und die Jahre des Atum.
Die aufgeführten Belege zeigen, daß aus dem Königgrab KV 11 rein königliche Elemente in die Prinzengräber übertragen worden sind, die ausschließ-
lich in einem Bezug zum König stehen.

Darüberhinaus sind Teile des Bildprogramms aus dem Königsgrab Ramses III.
in die Prinzengräber übernommen worden,die sich nachweislich nicht allein
auf den König, sondern auch auf den Prinzen beziehen und somit nicht als
rein königliches Element anzusehen sind. Hierzu zählen die vielfältigen
Gruppen der Wächtergottheiten, von denen wahrscheinlich zumindest ein Teil
in allen Prinzengräbern vorgesehen war (nicht vorhanden in QV 55 und KV 3,
in denen die Sarkophaghalle nicht fertiggestellt wurde). Die Wächtergottheiten finden sich gleichermaßen in den Sarkophaghallen der Prinzen, wie
in der des Königsgrabes Ramses III. Sie sind jedoch nicht als ein spezi-
fisches Bildprogramm allein für den König oder den Prinzen anzusehen, denn
sie sind ebenfalls in den Königinnengräbern QV 52, 40 und 38 vorhanden,
während sich die angeführten rein königlichen Teile des Bildprogramms nur
in den Prinzengräbern im Zusammenhang mit dem König finden.

4. Zusammenfassung

Die Untersuchung der 6 Prinzengräber hat folgendes ergeben:
a) Die Prinzengräber wurden zu Lebzeiten des Königs und für die leiblichen
Söhne Ramses III. gebaut, wie die vielfältigen Zueignungstexte des Königs für den jeweiligen Grabinhaber belegen.

Nur in zwei Gräbern konnten Überarbeitungen festgestellt werden. In QV
42 ist die Szene einer unbekannten Königin vor Osiris eine nachträgliche
Arbeit. Im Zusammenhang mit dem im Grab vorgefundenen Sarkophag für eine
Frau ist offensichtlich, daß das Grab des Paraherwenemef später auch [1]
für die Bestattung einer Königin gedient hat. Eine weitere Umarbeitung
hat J. Yoyotte [2] für das Grab QV 53 des Prinzen Ramses festgestellt.
Die bei den Fragmenten vorgefundenen, übereinanderliegenden Schichten
tragen die gleiche Dekoration und können auch eine Restauration vor der
Bestattung sein. Das Grab entspricht denen der anderen Prinzen, so daß
eine Usurpierung eines bereits dekorierten Königinnengrabes unwahrscheinlich ist. Für keines der anderen Prinzengräber gibt es einen Hinweis, daß ein vorhandenes Grab zu einem Prinzengrab umgestaltet wurde.

b) Die Gräber wurden zu Lebzeiten der Prinzen gebaut. Hierfür gibt es sowohl technische als auch religiöse Gründe. Das Grab QV 44, Chaemwese,
ist vollständig fertiggestellt worden. Danach wurde eine Planänderung
im 2. Korridor vorgesehen und begonnen, wie durch den Beginn des Putzes
an den neuen Laibungen und den Stürzen zu den unvollendeten beiden Nebenräumen belegt wird. Damit ist ein Beginn der Arbeiten an diesem Grab
beim Tode des Prinzen wohl auszuschließen. Wie dieses Grab zeigt keines
der anderen 5 Prinzengräber [3] Spuren besonderer Eile für die Herrich-
tung des Grabes, wie sie sonst in den Königsgräbern [4] teilweise vor-
zufinden sind. Die Größe der Gräber, ihre sorgfältige, farbige Relief-
arbeit läßt Planung und Durchführung der einzelnen Grabanlage in auch
nur annähernd 70 Tagen, die zwischen Tod und Bestattung üblicherweise
zur Verfügung standen, nicht zu. Auch der Einwand, im Grab QV 55 wären
die Sarkophaghalle [5] und zwei Nebenräume, wie jeweils ein Nebenraum in
QV 43 und QV 42 nicht dekoriert worden, ist deshalb nicht stichhaltig,
weil diese Räume sorgfältig ausgehauen und mit den Glättungen aller Win-
kellinien versehen wurden. Hätte der Arbeitsbeginn erst beim Tode des
Prinzen eingesetzt, wären diese Arbeiten sicher nicht durchgeführt wor-

---

1) Diese Tatsache sagt nichts über den Zeitpunkt der Bestattung aus. Somit
   gibt es auch keinen Anhalt, ob der Prinz in diesem Grab bestattet wurde.
2) J. Yoyotte, JEA 44 (1958), S. 27.
3) Ausnahme vielleicht der 4.und letzte Raum in QV 43, der nur in Malerei
   ausgeführt ist.
4) Z.B. das Grab Sethos II., s. F. Abitz, Statuetten in Schreinen, S. 11 f.
5) Wäre die Planung beim Tode von Amun(her)chepeschef begonnen worden,
   hätte die Planung die Ausführung der Sarkophaghalle, dem wichtigsten
   Teil der Anlage, innerhalb von 70 Tagen berücksichtigt.

den [1]. Die so sorgfältig geplanten Gräber, mit ihrem durchgeführten und erreichten Fertigstellungsgrad weisen allenfalls aus, daß die undekorierten Räume aus anderen Gründen nicht dekoriert wurden.

Es ist denkbar, daß der Nachfolger von Ramses III. die Arbeiten einstellen ließ oder die Absicht, den Prinzen hier zu bestatten, fallen gelassen wurde, ferner möglicherweise, daß die Nebenräume einer Dekoration deshalb nicht so dringend bedurften, weil der wesentliche religiöse Inhalt des Grabes vollendet war.

Die genannten technischen Gründe werden durch die Inhalte des Bildprogramms gestützt. In den Gräbern der Prinzen erscheint der König auch in der Erscheinungsform des Osiris und wird neben seinen Titeln als lebender Herrscher auch als "Osiris König" angesprochen. Diese Form des Königs als vergöttlichter Herrscher der Unterwelt, ausgestattet mit den Insignien und in der Erscheinungsform des Osiris ist nur nach dem Tod des Herrschers möglich. So zeigt das Königsgrab seit Sethos I. an der bedeutendsten Stelle seines Weges in seinem Grab als "Schlußbild" den König vor der Doppelform des Osiris an der Rückwand des 1. Pfeilersaales, dem Ende des oberen Grabbereiches. Hier erfolgt seine Verwandlung zur Erscheinungsform des Osiris. Erst wenn er dieses Bild in seinem Grab passiert hat, wird er auf seinem weiteren Weg im unteren Grabbereich zu der vergöttlichten Erscheinungsform des Herrschers in der Unterwelt und als dieser auch mit Re identifiziert. [2] Die Darstellung des Königs als vergöttlichte Erscheinungsform des Osiris in den Gräbern seiner Söhne ist nur dann möglich, wenn davon ausgegangen wurde, die Söhne würden den um eine Generation älteren Vater überleben. Das weist darauf hin, daß die Prinzen bei der Arbeit an dem "Schlußbild" ihres jeweiligen Grabes lebten und somit die Grabanlagen nicht erst nach ihrem Tode begonnen wurden.

c) Die Prinzen werden in ihren Gräbern mit den Horussöhnen identifiziert. Diese Identifizierung ist in den Gräbern QV 44, 55, 43 und wohl auch in einer besonderen Form in QV 42 erkennbar. In der Untersuchung der Königsgräber der Zeit von Sethos I. bis Ramses III. ist nachgewiesen worden, daß der Osiris-Mythos eine Grundlage für das Ritual im Königsgrab ist. [3]

1) Diese Aussage gilt nicht für das zerstörte Grab QV 53, jedoch weitgehend für KV 3.
2) E. Hornung, Das Buch der Anbetung des Re im Westen u.a. S. 53 f.; F. Abitz, König und Gott, S. 200.
3) F. Abitz, König und Gott, S. 200.

Der König als der lebende Horus auf dem Thron Ägyptens, wird in seinem Grab erst zu Horus-Sohn-der-Isis und dann zu Osiris, während sein ihm auf den Thron nachfolgender Sohn, als nunmehriger Sohn des Osiris, wiederum zu dem lebenden Horus wird. Dieses gilt nur für den König und seinen Nachfolger, welcher dann die Bestattung des toten Königs in der Erscheinungsform des Horus-Iwnmutef vornimmt. [1] Die nicht zur Thronfolge kommenden übrigen Prinzen, die Söhne des lebenden Horus auf dem Thron Ägyptens und nach seinem Tode die des Horus-Sohn-der-Isis, werden entsprechend mit den Horussöhnen identifiziert.

Die Prinzen werden in ihren Gräbern mit den Horussöhnen verglichen und es kann sein, daß zu dieser Zeit keiner der Prinzen als Kronprätendent ausgewählt gewesen ist. Dieses könnte auch für Amun(her)chepeschef gelten, in dessen Grab so häufig "Erbprinz" zu lesen ist, [2] und das Grab im Tal der Könige, KV 3. Letzteres ist eine ungewöhnliche Hervorhebung eines der Söhne [3]. Es ist jedoch auch möglich, daß Amun(her)chepeschef oder ein anderer Prinz (z.B. der Prinz Ramses) die Nachfolge des Königs einst antreten sollte, es jedoch üblich war, ihm trotzdem vorsorglich ein Prinzengrab zuzueignen.

d) Aus den Prinzengräbern ist eine zeitliche Reihenfolge nicht ablesbar. In drei Gräbern, das sind QV 44, 55 und 53 wird der 2. Raum für die Darstellung des Totenbuches 145 A verwendet, während in 2 Gräbern (QV 43 und 42) diese Darstellung fehlt und der Wiedergabe der Wächtergottheiten innerhalb der Sarkophaghalle der Vorzug gegeben worden ist. Das Grab KV 3 ist im 2. Raum nicht dekoriert; es ist anzunehmen, daß eine Darstellung der Wächtergottheiten vorgesehen war, denn in den drei zuerst genannten Gräbern ist TB 145 A in einem Korridor abgebildet, während in KV 3 eine Pfeilerhalle dem 1. Korridor folgt.

Einer solchen Einteilung der Gräber in zwei entwicklungsgeschichtliche Gruppen widerspricht die Bauform der Gräber. In der Raumart und -folge ähneln sich QV 44 und 43, in denen nach zwei Korridoren die Sarkophag-

1) F. Abitz, König und Gott, S. 182 f.
2) S. J. v. Beckerath, MDAIK, Bd. 40 (1984), S. 2, Anm. 10:
   "Der Titel rpᶜt hrj-tp-t3wj, den er in seinem Grab (VQ 55) trägt, impliziert allerdings nicht unbedingt, daß er einmal Thronfolger war, sondern lediglich eine gelegentliche Königsstellvertretung".
3) Der Name des Prinzen ist in KV 3 nicht erhalten. Es ist auch möglich, daß einer der Prinzen aus dem Tal der Königinnen ein neues Grab im Tal der Könige erhalten hat.

halle folgt und die Gräber QV 55 und 53, welche mit einem Raum und
nicht mit einem Korridor beginnen, sowie QV 42 und KV 3, bei denen auf
den 1. Korridor eine Halle mit 4 Pfeilern folgt.

Aus den Gräbern ist demnach eine aus der Bauform oder dem Bildprogramm
belegbare zeitliche Folge ihres Baubeginns nicht zu entwickeln.

Für eine Geburts- oder Rangfolge liegen lediglich folgenden Erkenntnisse vor:

KV 3 : Der Name des Prinzen ist unbekannt. Möglicherweise wurde es
für den ranghöchsten Sohn gearbeitet, wie die Hervorhebung des
Prinzen durch eine Bestattung im Tal der Könige vermuten läßt.
Wahrscheinlich wurde das Grab, entsprechend seinem Baufort-
schritt als letzte prinzliche Grabanlage in Angriff genommen
und ist wohl in die letzten Regierungsjahre Ramses III. zu datieren.

QV 55 : Amun(her)chepeschef, in welchem der Titel "Erbprinz" häufig
verwendet wird. Es ist anzunehmen, daß der Prinz den Titel zu
Lebzeiten getragen hat. Sein weiterer Titel "Aufseher der Pferde der Streitwagenstation des Königs" ist höherrangig als der
seiner Brüder.

QV 43 und 42: Sethherchepeschef und Paraherwenemef sind beide"Wagenlenker des großen Gespanns des Königs" und gegenüber Amun(her)che-
peschef von einem geringeren militärischen Rang.

QV 44 : Chaemwese ist "sm-Priester des Ptah" und trägt keinen militärischen Titel.

QV 53 : Ramses. Seine Titel sind in den Fragmenten seines Grabes nicht
überliefert; er kann rangmäßig nicht eingeordnet werden.

Die Titel wie "Erster" oder "Ältester" können für eine Rangfolge nicht
verwertet werden, weil sie offensichtlich ein Teil des Textprogramms
des Grabes gewesen sind, aber zu Lebzeiten nicht getragen wurden. Eine
reale Grundlage für die Rangfolge ist nicht anzunehmen. [1]

e) Der König hat in den Grabanlagen seiner Söhne eine bedeutendere Stellung als der Grabinhaber, der Prinz. Dieses gilt sowohl für seine Darstellung innerhalb des Bildprogramms als auch für sein Verhältnis zu
den Göttern.

In zwei Gräbern (QV 44 und 55) betritt der König allein, ohne den Prin-

1) S. hierzu die Zusammenstellung im Abschnitt IV/2

zen das Grab [1], in der Sarkophaghalle von QV 44 und auf den Pfeilern der Sarkophaghalle von QV 42 wird der König allein vor den Göttern dargestellt.

Der Prinz erscheint hingegen nur in den beiden Seitenräumen zum 1. Korridor des Grabes QV 44 allein, anbetend und ohne den Wedel vor den Gottheiten und wird, ohne dargestellt zu sein, im 4. Raum von QV 43 von den Göttern angesprochen. Nur ein weiteres Mal, nach der 6. Pforte TB 145 A, am Ende des 2. Korridors von QV 55 wird der Prinz allein dargestellt, jedoch trägt er den Wedel und ist somit in die Gesamtkonzeption des Raumses als Wedelträger des Königs eingebunden. Der König hingegen wird in einigen Fällen auch allein vor den Göttern, ohne daß der Prinz ihm folgt, wiedergegeben.

Die Götter sprechen den König an und werden von ihm angesprochen, ohne daß der dem König folgende Prinz hieran beteiligt ist. Die Zueignungen der Götter beziehen sich, soweit sie erhalten sind, eindeutig allein auf den König, wie z.B.: "Ich habe die die ḥb-sd-Feste in unendlich großer Zahl gegeben," so daß angenommen werden muß, daß auch alle heute zerstörten Zueignungen allein dem König zugute gekommen sind. Dieser, den Grabinhaber von den Segnungen der Götter verbal ausschließende Textinhalt mag u.a. dazugeführt haben, die Stellung des Königs als "magic voice" [2] für den Prinzen zu deuten, zumal der Prinz die Jugendlocke trägt und damit der Fürsprache zu bedürfen scheint. Für eine solche Deutung könnte der Schlußtext Totenbuch 125 (Was zu sprechen ist, wenn man zu dieser Halle der Vollständigen Wahrheit gelangt) herangezogen werden:

> "Er kann nicht zurückgehalten werden
> von irgendeinem Tor des Westens,
> (sondern) wird hereingeführt zusammen mit
> den Königen von Ober- und Unterägypten
> und wird im Gefolge des OSIRIS sein". [3]

Dem steht jedoch entgegen, daß der Prinz Chaemwese den rechten Nebenraum zum 1. Korridor seines Grabes allein betritt und von Amset angesichts des Rücken an Rücken auf seinem Thron sitzenden Ptah-Sokar-Osiris [4] angesprochen wird: "Ich bin zu dir gekommen, um dich zu begrüßen (und) den Großen,

1) Im Grab von QV 55 von Thot gefolgt!
2) C. Campbell, Two Theban Princes, S. 18 f.; H. C. Jelgersma, JEOL 21 (1970), S. 169 nennt ihn "magic spokesman".
3) E. Hornung, Totenbuch, S. 245.
4) Der König wird mit dem Gott nicht identifiziert, es fehlt die königliche Beischrift.

der in der Stätte ist". Hier an diesem wichtigen Abschnitt,welcher mit dem Tribunal des Osiris zusammenhängt, ist der Prinz demnach allein, ohne "magic voice", gelassen worden.

Ein ähnlicher Widerspruch ergibt sich aus der Gestaltung des Bildprogramms der Sarkophaghalle von QV 44, 43 und 42. In den drei Gräbern bildet der Rücken an Rücken auf seinem Thron sitzende Osiris das "Schlußbild" des Grabes, in welchem der König mit dem Gott Osiris identifiziert ist. In QV 44 wird anstelle des Prinzen allein der König in dessen Sarkophaghalle dargestellt. In QV 42 sind die 4 Pfeiler, welche den Sarkophag umstehen, allein mit dem König und Gottesdarstellungen, nicht jedoch mit der Darstellung des Prinzen, versehen. Das Fehlen des Prinzen in seiner eigenen Sarkophaghalle innerhalb des Bildprogramms und die Hervorhebung des Königs könnte mit einer Schutzfunktion des vergöttlichten Vaters für seinen Sohn verstanden werden, wenn diesem auf andere Weise die Zueignungen der Götter gegeben würden. Aber auch in den Sarkophaghallen richten die Götter ihre Segenssprüche an den König und ihr Inhalt ist nur als für den König geeignet anzusehen. Lediglich in QV 43 folgt der Sarkophaghalle ein Raum, in welchem dem Prinzen als einem Verklärten, Segenssprüche zugeeignet werden und der Prinz somit direkt angesprochen wird.

Aus der Konzeption des Bildprogramms für die Prinzengräber ist ersichtlich, daß in den Grabanlagen sowohl königliche, als auch prinzliche Elemente miteinander verbunden sind [1], und ihren sichtbaren Ausdruck von jeweils zwei miteinander verbundenen Personen innerhalb einer Grabanlage zeigen: d.i. der König, gefolgt vom Prinzen.

Die aufgezeigten Widersprüche sind gegeben, solange von der bisherigen Vorstellung ausgegangen wird, die Konzeption der Prinzengräber diene allein dem Prinzen als Grabinhaber. Die für den König vorgefundene bedeutendere Stellung, als die des prinzlichen Grabinhabers selbst, zeigt, daß auch für den König in den Gräbern seiner Söhne eine eigene, für ihn geltende Konzeption verwirklicht worden ist.

Der König wird in zwei Formen seines verklärten, jenseitigen Lebens dargestellt: als König und in der Erscheinungsform des Osiris. Wie in seinem

1) Ein Beispiel hierfür scheint auch in dem umlaufenden Text in der Sarkophaghalle des Sethherchepeschef, Westseite, enthalten zu sein: "Weil Osiris und Isis jubeln, (und) weil ein Thron errichtet wird für die geliebten Söhne, um seine Königsherrschaft zu vermehren",siehe Text unter Abschnitt I/4, S. 37.

eigenen Grab wird er im Verkehr mit den Göttern gezeigt, mit ihren Segenswünschen versehen, um am Ende des Grabes mit Osiris wesens- und erschei-
nungsgleich zu sein. Wenn auch in verkürzter Form und ohne, daß er leib-
lich als Mumie in den Gräbern seiner Söhne ruht, wird mit dem Bildprogramm
der Prinzengräber die Einswerdung des Königs mit dem Gott in Ewigkeit
wiederholt. Der Prinz wird in seinem Grab mit den Horussöhnen identifiziert, verklärt und folgt dem vergöttlichten Vater, der gleichzeitig in
der Erscheinungsform des Osiris der Herrscher der Unterwelt ist.

Die beiden Ebenen der Grabkonzeption sind an den gewählten Bildprogrammen
ablesbar, hierfür stehen u.a.:
- die unterschiedlichen Raumzuweisungen, einerseits die königlichen Zueignungen von Räumen für den Prinzen, andererseits die die Raumeingänge be-
  gleitenden Titulaturleisten des Königs,
- der Ablauf eines nichtköniglichen Programms, wie z.B. die Verwendung der
  Sprüche 145 A des Totenbuches und das königliche Programm der Identifizierung des Königs mit den Göttern,
- die, wenngleich seltenere Darstellung des Königs und des Prinzen allein,
- der Mangel an Szenen, die mit den beiden sich überlagernden Konzeptionen
  nicht zu vereinbaren sind, bei gleichzeitiger Übernahme ganzer Szenen
  aus dem Königsgrab Ramses III.

Planung und Ausführung des Bildprogramms in den Prinzengräbern enthält
demnach die Wandlung und Verklärung des prinzlichen Grabinhabers und die
Darstellung der Göttlichkeit des Königs. Weder aus dem Königsgrab, noch
aus den untersuchten Prinzengräbern ist der Grund zu erkennen, warum eine
solche ungewöhnliche und einmalige Form des Bildprogramms von Ramses III.
gewählt worden ist. Obgleich es sich nachfolgend um unbelegbare Vermutun-
gen handelt, kann die gewählte Konzeption mit den Erfahrungen Ramses III.
zusammenhängen, die ihn veranlaßten, entsprechende Vorsorge zu treffen.
Das Grab der Tausert im Tal der Könige wurde in größter Eile [1] unter Auslöschung aller Namen und Abbildungen der Königin beim Tode von Sethnacht
durch Ramses III. für die Bestattung seines Vaters hergerichtet und mit
dessen Namen ausgestattet. Ramses III. hat demnach selbst ein Königsgrab

1) Die Dokumentation des Grabes der Tausert ist durch Prof. Dr. Altenmül-
ler und sein Team in Arbeit. Er hat mir freundlicherweise gestattet,
seine Erkenntnisse zu verwerten. Die Arbeit an der Anlage der Tausert,
einschließlich der 2. Sarkophaghalle stammt aus der Zeit der Tausert.
Die Überarbeitung konnte zeitlich nach dem Tode Sethnachts durchgeführt werden. Das begonnene Grab Sethnachts, KV 11, wurde für seine Bestattung nicht verwendet.

"ausgelöscht" und die jenseitige Existenz der Tausert vernichtet. Er kann demnach die Befürchtung gehabt haben, daß auch sein eigenes Grab einem solchen Schicksal anheimfallen könnte. Es ist denkbar, daß er für sein jenseitiges Leben an anderer Stelle die wesentlichen Rituale seiner Vergöttlichung wiederholt sehen wollte. Hierfür kamen die Gräber seiner Söhne, die er für sie bauen ließ, am ehesten in Betracht.

IV. DIE QUELLEN AUßERHALB DER PRINZEN-GRÄBER

Namensgleiche Prinzen zu den Grabinhabern im Tal der Königinnen sind aus Medinet Habu, Karnak und neuerdings aus dem Grab Theben West Nr. 148 mit möglichen Hinweisen auf die Söhne Ramses III. bekannt. Insbesondere die Prinzenprozession in Medinet Habu hat zu einer umfangreichen und langjährigen Diskussion geführt, um die genealogischen Probleme der Ramessidenzeit nach Ramses III. zu klären.

Über die Regierungszeit Ramses III. sind ausreichende historische Daten bekannt. Dagegen ist weder geklärt, wer die Mütter der Söhne Ramses III.[1] waren, noch steht die Anzahl, die Geburts- und Rangfolge seiner Söhne fest. Die Wandreliefs der von ihm errichteten Tempel sind, obgleich königliche Gemahlinnen und Prinzen dargestellt wurden, ohne die Angabe ihrer Namen geblieben. Wenngleich es hierfür andere Gründe gegeben haben mag, ist nicht auszuschließen, daß Ramses III. ein eigenwilliges Verhältnis zu seinen Familienmitgliedern gehabt hat. Einige seiner Charaktereigenschaften lassen sich aus seiner Biographie entwickeln.

Sein Vater Sethnacht usurpierte den Thron Ägyptens und begründete eine neue Dynastie, als sein Sohn, der ihm auf den Thron folgende Ramses III., das 30. Lebensjahr überschritten hatte. Sethnacht, über dessen genealogische Herkunft nichts bekannt ist, starb bereits im 2. Jahr seiner Herrschaft. An der Machtergreifung und dem Machterhalt des Sethnacht wird sein Sohn mitgearbeitet haben.

Ramses III. bestattete seinen Vater im Grab der vor der Machtergreifung Sethnacht's regierenden Königin Tausert. Tausert war die Witwe Sethos II. und Stiefmutter des früh verstorbenen Pharao Siptah. Sie scheint während dessen kurzer Regierungszeit die Position einer "Regentin" für ihren jugendlichen Sohn innegehabt zu haben und bestieg nach dessen Tod selbst den Thron mit den Titeln eines Pharaos. Ramses III. ließ unter Auslöschung aller Darstellungen der Tausert die große Grabanlage mit Abbildungen, Titeln und Namen seines Vaters umgestalten. Er vernichtete damit die jenseitige Existenz der Königin Tausert. Über den Verbleib der Königin Tausert, ihren Tod und ihre Mumie gibt es keine

1) Siehe hierzu J. Grist, The identity of the ramesside Queen Tyti, JEA 71, (1985), S. 79 ff.

Kenntnis.

Mehr als das erste Jahrzehnt der Herrschaft Ramses III. war durch Feldzüge bestimmt. Neben den libyschen Feldzügen ist sein Sieg über die Seevölker und die Stabilisierung der Herrschaft über das palästinensisch/syrische Vorfeld Ägyptens sein bedeutendes historisches Verdienst. Trotz der krisenhaften und instabilen Verhältnisse in Ägypten, die ihm aus der Herrschaft Sethos II., des jungen Siptah und der Königin Tausert hinterlassen worden sind, muß es ihm gelungen sein, die Kampfkraft von Heer und Flotte so zu organisieren, daß er den Sieg über die Vielzahl gut bewaffneter und kriegserfahrener Völker und Stämme erringen konnte.

Für die von ihm für seine Söhne gebauten Gräber im Tal der Königinnen gibt es keine Parallele. Die Gräber sind, wie der vorhergehende Abschnitt dieser Arbeit zeigt, nicht das übliche Grab eines ranghohen Toten, in welchem das jenseitige Leben des Verstorbenen gesichert wird, sondern sie dienen, unter Beschränkung der Riten für den jeweiligen Prinzen, in mindestens gleichem Maße der jenseitigen Existenz Ramses III.

Am Ende seiner Regierung, in seinem letzten und 67. Lebensjahr, wurde eine Verschwörung aufgedeckt, an der eine große Anzahl hoher Beamter und Militärs unter der Führung einer "Haremsdame" beteiligt waren, um dem "dessen Name nicht genannt wird" den Thron zu sichern. Die Verschwörung wurde niedergeschlagen; der Prozeß dauerte über den Tod des Königs hinaus; der, der die Macht ergreifen wollte, wurde zum Selbstmord gezwungen. Ob es ein Sohn Ramses III. gewesen ist, ist nicht bekannt.

Die ausgewählten Teile der Biographie Ramses III. zeigen ihn einerseits als einen entschlossenen und mit harter Hand regierenden König, andererseits lassen die Mitarbeit an der Machtergreifung, die Usurpierung des Grabes der Königin Tausert und die Form der Prinzengräber erkennen, daß er offensichtlich auch seiner Familie gegenüber rücksichtslos seine Macht ausübte.

Ob die zu Beginn des Abschnittes geschilderten mangelnden Kenntnisse über die Familie Ramses III. aus der Biographie des Königs abgeleitet werden können, bleibt jedoch eine Vermutung.

Ohne Berücksichtigung der genealogischen Fragen ist es für die Klärung der Besonderheiten der 6 untersuchten Gräber von Bedeutung, festzustellen, ob eine Identität der Grabinhaber mit den namensgleichen Prinzen der nachfolgend behandelten Quellen nachgewiesen werden kann. Es ist in der Vergangenheit u.a. folgendes erörtert worden:

Die den Prinzen der Prozession von Medinet Habu beigeschriebenen Namen
nennen: gänzlich oder teilweise Söhne Ramses III.,

oder stehen gänzlich oder teilweise in einem anderen verwandtschaftlichen
Verhältnis zu Ramses III., z.B. als Enkel.

Die Frage, ob es weitere Gräber von Söhnen Ramses III. gibt, kann mangels
verwertbarer Belege nicht beantwortet werden. Weder ist die Anzahl seiner
Söhne bekannt, noch wissen wir, ob auch für andere Söhne, als die fünf bekannten und den einen namentlich nicht bekannten Grabinhaber, Gräber ge-
schaffen wurden. Die Vermutung, daß es weitere Gräber gegeben haben kann,
stützt sich unter anderem darauf, daß die Beischriften zu der Prinzenprozession in Medinet Habu 9 Namen nennen, während nur 6 Gräber bekannt sind.
Wiederholt ist auf die Zueignungsinschrift Ramses III. im Grab des Prinzen
Amun(her)chepeschef hingewiesen [1] und gefolgert worden, daß QV 55 als Bestattung für mehrere Prinzen dienen sollte. Die Absicht, eine Mehrfachbestattung in QV 55 vorzunehmen, hat meine Untersuchung nicht nachvollziehen
können. An Hand der noch nicht identifizierten Gräber im Tal der Königinnen hat E. Thomas [2] auf die Möglichkeit des Vorhandenseins weiterer Prinzengräber hingewiesen.

1. Das verfügbare Material

a) Die Darstellung der Prinzen im Tempel von Medinet Habu

Im Totentempel Ramses III. in Medinet Habu werden königliche Prinzen wiederholt dargestellt. K.Seele [3] geht davon aus, daß alle Figuren mit der
Jugendlocke, die an den Tempelwänden erscheinen, als Prinzen anzusehen
sind. Er vermutet, daß die Jugendlocke in den ägyptischen Reliefs beibe-
halten wird, um die Verwandtschaft als Sohn anzuzeigen, auch wenn die Person älter als die normalen Träger der Jugendlocke war.

Nur wenige Darstellungen der Prinzen sind mit Beischriften versehen. Bei
der Außmeißelung des Textes ist ausreichend freier Raum gelassen worden,
um nach den Titeln, den Namen des Prinzen einzutragen. Der Name ist jedoch
an keiner der Szenen mit eingeschrieben worden. Nur in der Wettkampfszene [4]

1) S. I/2, Erläuterungen zum Bildprogramm QV 55, Zueignungstexte des Königs (Z).
2) E. Thomas, JEA 45 (1959), S. 101 f.
3) K. Seele, FS Grapow (1955), S. 297.
4) The Epigraphic Survey, MH II. pl. 111 u. 112.

wurde der Name "Ramses,selig" und der Uräus
an der Stirn des Prinzen zu einem späteren
Zeitpunkt eingefügt, wie das unterschiedliche
Schriftbild eindeutig belegt. Bemerkenswert
ist, daß weder den Prinzessinnen noch der Königin in diesen Darstellungen Namen beigeschrieben wurden; dort wo eine Königin-Kar-
tusche erscheint, ist sie leer gelassen worden. [1]

Von entscheidender Bedeutung für die langjährigen Diskussionen ist die
Prinzenprozession unter den Kolonnaden des 2. Hofes von Medinet Habu.
Beidseitig des Hauptdurchganges ist eine gleichartige Prozession von Prinzen dargestellt, die sich auf beiden Seiten nur dadurch zu unterscheiden
scheint, daß am Ende der linken Seite einige Prinzen durch Prinzessinnen
ausgewechselt wurden. Jeweils die ersten zehn der Prinzen beider Seiten
wurden nachträglich mit Titeln und Namen [2] versehen, die offensichtlich
nach der Regierungszeit Ramses III. eingraviert worden sind. Entsprechend
wurden auch die jeweils ersten vier Figuren geändert; durch die Hinzufügung des Uräus an der Stirn und Umarbeitung der Kleidung [3] sind sie gegenüber den anderen Prinzendarstellungen hervorgehoben worden. In den bisherigen Diskussionen geht es auch um die Frage, wann die Änderungen er-
folgten und welche Schlüsse daraus zu ziehen sind. Nachfolgend wird eine
kurze Übersicht über die Erörterungen des Befundes gegeben, ohne daß auf
Details, welche für diese Arbeit nicht wesentlich scheinen, eingegangen
wird.

E. Peet [4] hat auf die nach seiner Auffassung geringen textlichen Unterschiede zwischen der linken und rechten Seite der Prinzenbeischriften hingewiesen. Er bat A. Gardiner die Darstellungen nach Lepsius und Sethe vor
Ort erneut zu überprüfen und berichtet über das Ergebnis [5], welches er

1) K. A. Kitchen, JEA 68 (1982), S. 119, Anm. 22, sieht in der Auslassung
   der Namen eine Folge aus der Übertragung des Bild- und Textprogramms
   aus dem Ramesseum, weil die Namen der Familienmitglieder Ramses II.aus-
   gelassen wurden.
2) S. Hierogl. Texte, Abb. Nr. 30.
3) Abb. Nr. 31.
4) E. Peet, JEA 14 (1928), S. 54.
5) A.a.O., S. 56,(gekürzter Text).

sich zu eigen macht:

1. Die Figuren sind fast sicher aus der Zeit Ramses III.
2. Die Namen und Titel der Prinzen sind später hinzugefügt.
3. Die Kartuschen der Prinzen 1-3 zeigen keinen Unterschied, der eine unterschiedliche Datierung gegenüber den Namen und Titeln der anderen Prinzen erlaubt.
4. Die Kartuschen zum Prinzen 4 sind später gearbeitet als die anderen.
5. Die Uräen an den Stirnen der 4 ersten Prinzen erscheinen nicht unterschiedlich zu den zugehörigen Figuren zu sein, obgleich es nach Punkt 2 und 3 so sein müßte. (Gemeint hat A. Gardiner sicher Punkt 2 - 4).

K. Seele [1] folgt den Feststellungen von E. Peet, sieht aber einige Ungereimtheiten wie jeweils die Registerlinien gearbeitet wurden, die die Inschriften zu den Prinzen seitlich begleiten.In einigen Fällen unterscheiden sie sich in der Dicke und dem Abstand, andere fehlen ganz. Sie können nach seiner Auffassung deshalb zweitrangig sein. Er verweist ferner auf die lange horizontale Inschrift unmittelbar unterhalb der Prinzenprozession, in welcher der Name Ramses IV. nicht von Ramses VI. usurpiert worden ist.

J. Černý [2] stellt Abweichendes fest. Die Figuren der Prinzen wurden auch nach seiner Auffassung unter Ramses III. gearbeitet. Dann folgte später die Eingravierung der Beischriften zu den Prinzen 1 - 3 und in einer noch späteren Ausführung die Texte der weiteren 7 Figuren, d.h. der Prinzen 4 - 10. Er weist darauf hin, daß weitere Namen als "Ramses" (in einer Kartusche) bei der 1. Figur nicht hinzugefügt werden konnten, weil hierfür kein Platz war.

Ch. Nims [3] war s.Zt. verantwortlich für die Zeichnungen der Prinzenprozession in Medinet Habu. Er stellt fest, daß die Registerlinien der 1. Prinzenfigur auf beiden Seiten breiter und senkrechter zur Grundlinie sind. Alle anderen Linien, welche die Titel und Namen der Prinzen umschließen, haben eine Rechtsneigung zwischen 1-2 Grad.An der Nordseite sind die Kolumnen merklich enger als die Kolumne vor der 1. Figur. Er folgert daraus, daß der Name der 1. Figur früher gemeißelt sein könnte, als die Namen der folgenden neun Figuren. Richtig ist nach seiner Auffassung, daß die Inschriften zu den Prinzen 2 - 9 zur gleichen Zeit ausgeführt wurden (außer

1)K. Seele, FS Grapow (1955), S. 302.
2)J. Černý, JEA 44 (1958), S. 33 ff.
3)Ch. Nims, Bibliotheca Orientalis XIV, No. 3/4 (1957), S. 137 f.

Hieroglyphischer Text zur Prinzenprozession in
Medinet Habu

(aus MH V, Plate 299 u. 301)

Die Texte der linken und rechten Prozessions-
seite sind in ihrer unterschiedlichen Gestaltung jeweils gegenüber gestellt worden.
Der Text unter Ziffer 4 steht jeweils links,
bzw. rechts neben der Spalte 4.

Abbildung Nr. 30

Ausschnitte aus der Prozession der Prinzen in Medinet Habu

Prinz Nr. 2 – geändert

Prinz Nr. 8 – ursprüngliche Form

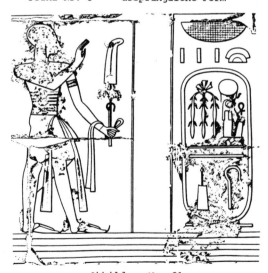

Abbildung Nr. 31

der Hinzufügung der Kartuschen bei dem 4. Prinzen). Ch. Nims weist ebenfalls auf die Bedeutung der Inschrift Ramses IV. unter der Prinzenprozession hin.

In einem zweiten Artikel geht K.Seele [1] erneut auf die Prinzenprozession
ein. Für ihn sind die Titel und Namen der Prinzen und die Zeichen in ihnen
absolut homogen in Stil und Tiefe (Ausnahmen die Kartuschen als 2. Hinzufügung bei dem 4. Prinzen). Ferner, daß diese Inschriften sich von den zur
Zeit Ramses III. gearbeiteten Hieroglyphen so unterscheiden, daß dieses
einen weitreichenden Beweis für die später als Ramses III. zu datieren-
den Inschriften zur Prinzenprozession gibt. Diese späteren Hinzufügungen
umfassen neben den Beischriften, die Uräen und die Änderung der Kleidung
der ersten drei Prinzen. In einer weiteren Stufe wurden dann dem 4. Prinzen der Uräus und die königlichen Titel und Kartuschen hinzugefügt sowie
die Kleidung geändert.Nach Anführung einer Anzahl von Beispielen über die
unterschiedliche Arbeitsweise der Handwerker an Registerlinien kommt er
zu dem Schluß, daß die von Ch. Nims festgestellten Unterschiede normal
sind und alle Registerlinien in der Prinzenprozession deshalb aus der Zeit
von Ramses III. stammen. Nach seiner Auffassung beweist der Vergleich des
zwanzigmal erscheinenden Titels"Wedelträger zur Rechten des Königs"mit den
unnormal arrangierten Zeichen und den identischen Hieroglyphenformen im
kleinsten Detail, daß diese Beischriften zu einem Zeitpunkt gearbeitet
wurden.

J. Monnet [2] folgt wiederum der Auffassung von Ch. Nims und weist besonders auf die unterschiedliche Ausführung der Uräen hin, die an den Stirnen
der ersten vier Figuren zu sehen sind. Danach ist der erste Uräus blau,
einförmig und ohne Detail gearbeitet, die Uräen 2 und 3 zeigen keinerlei
Farbspuren und der vierte Uräus trägt noch Farbspuren in rot und blau,
aus denen man rekonstruieren kann, in welchen Farben die Details des Uräus
gemalt worden sind. Hieraus folgert J. Monnet: die Figuren und Kartuschen
von Ramses III. wurden in der Zeit dieses Königs gearbeitet; der 1. Prinz
wurde zuerst überarbeitet, d.h. Titel mit Kartusche und Uräus. In einer 2.
Stufe wurden die Prinzen 2 - 10 überarbeitet, d.h. auch Titel und Namen
sowie Kartuschen und Uräen der Prinzen 2 und 3 . In einer 3. Stufe wurden
die Kartuschen des 4. Prinzen hinzugesetzt, seine Kleidung geändert und
sein Uräus hinzugefügt. J. Monnet läßt offen, ob die Registerlinien zur

1) K. Seele, JNES 19 (1960), S. 184 - 204.
2) J. Monnet, BIFAO 63 (1965), S. 209 - 236.

Zeit von Ramses III. oder einem seiner Nachfolger gearbeitet wurden.

W. Murnane [1] behandelt die Probleme mit den Registerlinien und Uräen erneut. Nach seiner Auffassung zeigen die erheblichen Unterschiede der Registerlinien und die Tatsache, daß mehr Figuren und Registerlinien vorhanden sind als Beischriften eingetragen wurden, eindeutig an, daß nur Ramses III. sie hat arbeiten lassen. Die Unterschiede in der Ausführung von Uräen sind für ihn von zweifelhaftem Wert für eine Datierung. Für ihn gibt es folglich nur zwei Änderungen: die 1. Änderung ist die Eintragung aller Texte in die vorhandenen Registerlinien der Prinzen 1 - 10; die 2. Änderung ist am 4. Prinzen durch die Anbringung einer zweiten Textkolumne vorgenommen worden.

K.A. Kitchen [2] hält die Unterschiede der Uräen zu den Prinzen 1 - 4 für die Datierung ungeeignet.

J.v. Beckerath [3] meint, daß die Beischriften zu den Prinzen offenbar durch Ramses VI. vorgenommen wurden, um seine legitime Abstammung vom Erbauer des Totentempels augenfällig zu machen. Ein wesentlicher Einwand gegen die These, daß sich alle Beischriften auf die Söhne Ramses III. bezögen, ergibt sich seiner Ansicht daraus, daß sowohl Ramses VI. und der 8. Prinz den gleichen Namen Amunherchepeschef tragen. Ferner schließt J.v. Beckerath aus, daß Ramses IV. lediglich die Beischriften zu dem 1. Prinzen einschreiben ließ. Er begründet es nicht nur mit den bekannten epigraphischen Einwänden, sondern weil nach seiner Ansicht ausreichend Platz zur Verfügung stand, um den vollen Königsnamen Ramses IV. in eindeutiger Weise zu verewigen. Auch nach seiner Überzeugung waren die Prinzen der Prinzengräber im Tal der Königinnen bereits in der Regierungszeit Ramses III.verstorben und können deshalb nicht die in der Prinzenprozession von Medinet Habu genannten Könige sein.

Im Endergebnis kommen alle bisherigen Bearbeiter einhellig zu der Auffassung, daß die Figuren der Prinzenprozession und die vor ihnen stehenden großen Kartuschen Ramses III. aus der Zeit der Tempelfertigstellung stammen, d.h. spätestens in das 12. Regierungsjahr Ramses III. [4] zu datieren sind. Gleichermaßen stimmen sie überein, daß die Änderung am 4. Prinzen in einer gesonderten Arbeitsstufe zum Schluß erfolgte und damit die

1) W. Murnane, JARCE 9 (1971 - 72), S. 121-131.
2) K.A. Kitchen, JEA 58 (1972), S. 182-194.
3) J.v. Beckerath, ZÄS 97 (1971), S. 7 - 12.
4) K. Seele, FS Grapow (1955), S. 308.

letzte Änderung an der Prozession gewesen ist. Unterschiedliche Auffassungen bestehen darin, ob die dazwischenliegenden Änderungen in ein oder zwei Stufen vorgenommen wurden. Die Beurteilung hängt u.a. auch von der Ausführung der Registerlinien und Uräen ab und führt zu entsprechend unterschiedlichen Deutungen.

Folgende Feststellungen sind m.E. noch in die Überlegungen einzubeziehen:

Zu den Beischriften:
Zur Beurteilung der Unterschiedlichkeit der Registerlinien ist das gesamte Prozessionsbild beider Seiten heranzuziehen. Die Figuren der Prinzen wurden unter Ramses III. auf den beiden Seiten verschieden dargestellt. Links tragen sie den Wedel vor sich, die rechte Handwurzel liegt in Höhe der Schulter, während die Prinzen rechts den Wedel über die linke Schulter lehnen und die rechte Hand weit vor sich strecken. Hierdurch nehmen die Prinzen der rechten Seite einen größeren Raum in der Breite ein, als die Prinzen der linken Seite. Eine Vermessung ergab, daß die Abstände zwischen den Figuren einer Seite zum Teil erheblich differieren. Nachdem die Breiten der zwischen den Figuren stehenden großen Kartuschen Ramses III. stets fast gleich sind, verbleibt für die Registerspalte ein unterschiedlicher Raum. Die Breite der Textzeilen vor den Prinzen ist demnach eher abhängig von dem verfügbaren Raum wie er zu der Zeit von Ramses III. eingeteilt wurde , als eine Hervorhebung des 1. Prinzen zur Zeit Ramses IV. oder Ramses VI. Bemerkenswert ist, daß die Prinzen der Nordwand auf einem so engen Raum untergebracht worden sind und damit die Unterbringung einer senkrechten Textleiste für Titel und Namen nicht möglich gewesen wäre.

Die Ausführung des ⌐ im Text zum 1. Prinzen beider Seiten ist abweichend von allen anderen Texten in den Registerspalten. Die Abweichung hängt nicht mit der schwankenden Breite des zur Verfügung stehenden Raumes zusammen, sondern deutet darauf hin, daß jeweils die Beischriften zum 1. Prinzen von einem anderen Handwerker als die Beischriften zu den übrigen Prinzen gearbeitet wurden.

Zu den Uräen:
Die Beobachtung von J. Monnet, daß der Uräus bei dem 4. Prinzen von den drei vorangegangenen Prinzen abweicht, stützt die Erkenntnis, dieses als die letzte Arbeitsstufe anzusehen. Hinsichtlich der Uräen 1 - 3 kommen J. Johnson und Th. Logan bei einer erneuten Überprüfung zu einem anderen Ergebnis: " . . , but were unable to detect any significant differences

among those three"[1]. Ohne stärkere Argumente scheint es nicht möglich,
allein auf die, darüberhinaus noch zweifelhaften Unterschiede der Uräen
eine abweichende Datierung zu gründen.

Der technische Befund, d.h. in welchen zeitlichen Arbeitsstufen die Beischriften zum 1. und zu den folgenden Prinzen gearbeitet wurden, bleibt
damit zweideutig und gibt keinen sicheren Beleg dafür, ob die Beischriften
zum 1. Prinzen vor Ramses VI. zur Ausführung gekommen sind.

<u>b) Die namentlich genannten Prinzen in Karnak</u>

Im kleinen Tempel Ramses III. in Karnak werden zwei Prinzen hinter dem
Rauchopfer spendenden König Ramses III. dargestellt. [2] Sie tragen einen
Wedel vor sich, wie in Medinet Habu. Die Szene ist ein Teil des Min-Festes.
Die beiden nebeneinander stehenden Beischriften zu den Prinzen lauten:

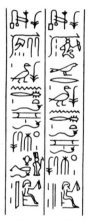

"königlicher Schreiber, Generalissimus,Königssohn, sein leiblicher, sein
  geliebter, Ramses, selig", und
"königlicher Schreiber, Vorsteher der Pferde, Königssohn, sein leiblicher,
  sein geliebter, Ramses-Amunherchepeschef, selig":
K. Seele ist in der Publikation des Tempels als Epigraph genannt. Zu den
Beischriften schreibt er [3]: "In view of the blanks which everywhere occur
at Medinet Habu, I have given the closest possible attention to these two
columns at Karnak in an effort to determine whether the inscriptions which
they contain are contemporary with the adjacent reliefs. I have likewise
requested my colleagues who are still members of the Epigraphic Survey in

1)W. Murnane, JARCE 9 (1971-72), S. 122, Anm. 11.
2)The Epigraphic Survey Ramses III's Temple,Part I, (1936), pls. 17 u. 18.
3)K. Seele, FS Grapow (1955), S. 309.

Luxor to re-examine the originals with the same purpose in mind. We are all agreed that the titels and names of the two Karnak princes were probably carved at the same time as the scenes of which they are a part. There is here no question of names added subsequently, as in the Medinet Habu procession of princes".

W. Murnane [1] bezweifelt, daß die Namen der Prinzen in Karnak mit Sicherheit zur gleichen Zeit wie die übrigen Inschriften gearbeitet wurden. Die von ihm angeführte Überprüfung der Fotos durch E. Wente "...suggests otherwise: the signs are smaller than those in the titels above them, and they appear to be slanted a bit differently too". [2]

Aus dem in einem religiösen Text vorhandenen Datum schließt K. Seele [3], daß der kleine Tempel von Karnak in einer Zeit errichtet und dekoriert wurde, der das dort genannte Jahr 22 einschließt. Entsprechend der Publikation des Karnak-Tempels [4] befindet sich unter der oben genannten Szene des Min-Festes eine lange horizontale Inschrift, deren erste Zeile die Kartuschen Ramses III. und deren zweite Zeile die Kartuschen von Ramses IV. enthält.

c) Das Stelenfragment aus Deir el Medineh

B. Bruyère [5] führt unter den Ausgrabungen in Deir el Medineh das Fragment einer Kalksteinstele an, auf welcher die Scheitel zweier männlicher Köpfe noch sichtbar sind. Sie tragen die Jugendlocke, wie die Prinzen Ramses III. Der Text lautet:

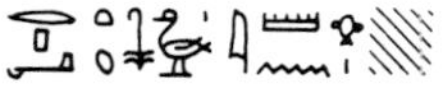 (probablement 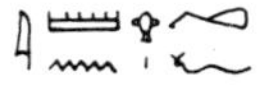, enterré à la Vallée des Reines, tombe n° 55).

d) Der Türsturz in Florenz

Im Museum von Florenz befindet sich heute ein Türsturz mit folgender Inschrift: 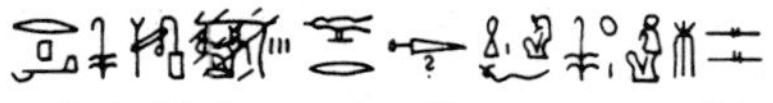 [6]

"Erbprinz, königlicher Schreiber, Generalissimus, Bevollmächtigter (?) seiner Majestät, Königssohn, Ramses" [7]. K.A. Kitchen fügt hinzu: " In the

1) W. Murnane, JARCE 9 (1971-72), S. 126, Anm. 24.
2) Die von mir 1985 vorgenommene Überprüfung läßt erhebliche Zweifel bestehen, ob die abgebildeten Beischriften zur gleichen Zeit wie die anderen Texte der Wand gearbeitet wurden.
3) K. Seele für das 22. Regierungsjahr Ramses III., FS Grapow (1955), S. 309.
4) Karnak I, pl. 76.
5) B. Bruyère, FIAO 1930, S. 55 u. Abb. Nr. 14, Figur 6.
6) K.A. Kitchen, Ramesside Inscriptions V., S. 373.
7) W. Murnane, JARCE 9, S. 123; die Übersetzung "Commissioner" ist zweifelhaft.

'sporting reliefs', Medinet Habu II, pl.111; both there and on the Florence lintel Inv. 4019 (cf. Gauthier, III, 176, n.2), prince Ramesses has the same orthography of name and the same particular title -generalissimo- as figure No. 1 in the Medinet Habu series". [1]

<u>e) die Kapelle G des Ptah-Heiligtums</u>

In der Nähe des Weges von Deir el Medineh zum Tal der Königinnen wurde im Ptah-Heiligtum, 7. Kapelle, von B. Bruyère [2] ein Stelenfragment entdeckt, das u.a. folgenden Text enthält:

<u>f) Die Inschrift aus dem Grab Theben West Nr. 148</u>

K.A. Kitchen [3] hat in seinem Artikel auf das Grab Nr. 148 des Amenemōpet[4] hingewiesen, in welchem der Grabinhaber vor Ramses III. und "the Hereditary Prince, Royal Scribe, Generalissimo, King's Son of his body, his beloved, Ramesses (in cartouche)" erscheint.

 5)

<u>2. Der Titel- und Namensvergleich</u>

Der Vergleich der Titel und Namen der Prinzen kann Aufschluß darüber geben, ob die in den 5 Prinzengräbern genannten Personen mit denjenigen identisch sind, die in den Quellen außerhalb der Gräber genannt werden.

Vor dem Titel- und Namensvergleich ist es erforderlich zu klären, ob die in den Gräbern genannten Titel

reale, d.h. zu Lebzeiten getragene Titel gewesen sind, oder ob diese Titel

1) K.A. Kitchen, JEA 58 (1972), S. 188, Anm. 4
2) B. Bruyère, MIFAO 58 (1930), S. 47, Fig. 28.
3) K.A. Kitchen, JEA 68 (1982), S. 116 f.
4) P&M, Part I, S. 259 f.
5) G.A. Gaballa and K.A. Kitchen, MDAIK 37 (1981), S. 173.

nur im Grab vorkommen, d.h. unter Umständen nur mit dem jenseitigen Leben
des jeweiligen Prinzen zusammenhängen. Die Verwendung der genannten Titel
ist in den Prinzengräbern und in den bekannten Quellen außerhalb der Gräber wie folgt vorgenommen worden:

⸻ , Erbprinz, Erster Beider Länder:

Nur Amun(her)chepeschef trägt in seinem Grab QV 55 den Titel "Erbprinz",
dort stets mit dem Zusatz "Erster Beider Länder", außer vor den Göttern
des 1. Raumes Ptah und [Geb ?] [1]) und den Pforten TB 145 A, Nr. 6,8 und [9]
im 2. Raum. Nach dieser Verteilung tritt der Prinz ohne diese Titel in den
1. Raum seines Grabes und trägt die Titel nur in der ersten Szene (li. u.
re.) des 2. Korridors. In keinem der anderen Prinzengräber sind diese Titel nachzuweisen. Ob sie in den Gräbern QV 53, Ramses, und KV 3, Grabinhaber unbekannt, verwendet wurden, ist wegen der fast vollständigen Zerstörung der Grabwände nicht festzustellen.

Der Titel wird im Grab des Amun(her)chepeschef überwiegend eingesetzt, er
wird deshalb in den Titel- und Namensvergleich aufgenommen; erhebliche
Zweifel, daß er nicht zu Lebzeiten getragen worden ist, bestehen nicht.
Der Titel "Erbprinz" ist außerhalb der Gräber nur für den Prinzen Ramses
(Türsturz in Florenz, Grab 148 und die MH-Prozession) und Amunherchepeschef
(Prinz Nr. 2 und 3 der MH-Prozession) gegeben.

⸻ , ältester Königssohn:

Der Titel kommt in den Gräbern von Sethherchepeschef und Chaemwese vor,
nicht jedoch in den Quellen außerhalb der Prinzengräber.

Sethherchepeschef:

1. Korridor, links vor Anubis:

⸻ ( ) [2]) usw.

4. Raum (der Prinz wird nicht dargestellt, aber von den Göttern "angesprochen") vor Re-Harachte:

⸻ , Name, selig.

1) Die Reste der stark zerstörten Beischrift des Prinzen entsprechen derjenigen vor Ptah.
2) Abweichend von der Schreibung mit dem Thron- und Geburtsnamen im Titel
wird an dieser Stelle im 1. Korridor nur der Geburtsname des Königs
verwendet.

vor Kebehsenuf:

Osiris, Titel Name, selig 〔Hieroglyphen〕

Chaemwese:

2. Korridor, vor der 13. Pforte TB 145 A:

Priestertitel, 〔Hieroglyphen〕 (²) , Name, selig.

Auf der gegenüberliegenden, damit korrespondierenden Wandseite, vor der 14.
Pforte TB 145 A ist an gleicher Stelle eingefügt:

Priestertitel, 〔Hieroglyphen〕 ( ] , Name, selig.

und an beiden Stellen ändert sich die Ausstattung des Prinzen durch das
ḥḳ3.t-Szepter (?), welches er nur an dieser Stelle des Grabes anstelle
des ḫw-Wedels trägt.

Die Verwendung des Titels "ältester Königssohn" in den beiden Gräbern
scheint aus den nachfolgenden Gründen mit dem jenseitigen Leben des jeweiligen Prinzen zusammenzuhängen und nicht ein real im Leben getragener Titel zu sein:

- Die Titel kommen nur drei-, bzw. einmal in der Vielzahl der prinzlichen
  Beischriften vor.
- Bei Sethherchepeschef wird der Titel im 4. Raum nur im Zusammenhang mit
  Re-Harachte verwendet; dort wird der Prinz in einem Fall nicht als "äl-
  tester Königssohn"sondern als"ältester////Sohn des Re-Harachte"benannt.
- Bei Chaemwese wird dem Titel "ältester Königssohn" gleichzeitig "erster
  Königssohn" gegenübergestellt und ihm eine Ausstattung mit einem Szepter
  gegeben.
- Damit verbleibt der Titel des Prinzen Sethherchepeschef als "ältester
  Königssohn" vor Anubis. Auch hier ist eine auf das jenseitige Leben des
  Prinzen gerichtete Titelform zu vermuten. Die anschließenden und letzten
  Szenen des 1. Korridors zeigen den König und Prinzen vor Re-Harachte und
  Osiris. Es scheint, als ob Anubis die "Ankündigung" vornimmt und dem
  Prinzen hier der besondere, ihn aufwertende Titel gegeben worden ist.

Der Titel, der so offensichtlich für das jenseitige Leben der Prinzen eingesetzt wurde, bleibt im folgenden Titel- und Namensvergleich deshalb unberücksichtigt.

〔Hieroglyphen〕 , erster Königssohn:

Der Titel "erster Königssohn" wird in den Prinzengräbern von Sethherchepeschef, Paraherwenemef und Chaemwese getragen, kommt jedoch in den Quellen
außerhalb der Prinzengräber nicht vor.

Sethherchepeschef:

1. Korridor: überwiegend ⸢𓉘𓏤𓂺𓎟𓇓𓏏𓈖⸣ , Militärtitel (der den Thron- und Geburtsnamen Ramses III. einschließt), Name, selig [1].

2. Korridor: Der Prinz, ohne "Osiris", trägt beiderseits in der 1. Szene nur den Militärtitel und nur rechts den Einschub 𓂺𓏤 nach "Wagenlenker", d.i. "erster Wagenlenker". Mit dem 2. Korridor wird innerhalb des Militärtitels nur noch der Geburtsname Ramses III. eingesetzt.

In den folgenden Szenen wird der Prinz "Osiris, erster Wagenlenker seiner Majestät (2) , Name, selig" genannt.

Halle: wie ab 2. Szene im 2. Korridor. [2]

4. Raum: Die Titel des Prinzen werden in verschiedenen Fassungen gebracht. [3] Die Vielzahl der Titel enthalten nicht "erster Königssohn", jedoch häufig "erster Wagenlenker seiner Majestät" und in einem Fall (vor Re-Harachte) 𓂺𓏤𓅆 "ältester //// Sohn . . .".

Paraherwenemef:

Die Beischrift zum Prinzen kommt nur in zwei Formen vor:

   Militärtitel (der die Geburtsnamen Ramses III. einschließt), Name,

   selig,

oder in der gleichen Schreibung, jedoch mit dem Vorsatz von ⸢𓉘𓏤𓂺𓎟𓇓𓏏𓈖⸣

vor dem Militärtitel. Der Vorsatz "erster Königssohn seiner Majestät" ist heute im 1. Korridor wegen der Zerstörung der Wände nicht mehr festzustellen, jedoch von J.F. Champollion [4] als Variante noch aufgeführt. "Erster Königssohn seiner Majestät" wird Paraherwenemef überwiegend, gegenüber dem Titel ohne Vorsatz, in der Sarkophaghalle genannt.

Chaemwese:

Der Titel des Prinzen in seinem Grab lautet stets "sm-Priester des Ptah, des Großen, der südlich seiner Mauer ist, Herr von Anch-tauj (Memphis), Königssohn, Chaemwese, selig", teilweise noch "Königssohn" mit "sein leiblicher, sein geliebter" und ab dem 2. Korridor unter Einschub des Geburtsnamens Ramses III. (in der Kartusche) vor seinem Namen, demnach "Königs-

1) Die Beischriften sind teilweise zerstört, die einzige Ausnahme scheint "ältester Königssohn" vor Anubis zu sein; dort ist ohne "Königssohn" dann das 𓂺𓏤𓅆 in den Militärtitel aufgenommen (1. Wagenlenker seiner Majestät) und der Thronname fortgelassen worden.
2) Ausnahme: linke Eingangswand, den Eingang flankierend, ohne Darstellung des Prinzen, senkrechte Inschrift auch mit dem Thronnamen Ramses III. im Militärtitel.
3) Siehe Grabbeschreibung II, 4, der letzte kleine Raum.
4) J.F. Champollion, Not. Descr. I, S. 395.

sohn des (2) , Chaemwese, selig". Nur vor der 14. Pforte TB 145 A wird
er "Königssohn, sein leiblicher, sein geliebter, ältester Sohn des (2) "
und vor der 13. Pforte TB 145 A ⸢𓉐𓏤𓊃⸣( ) genannt. In beiden sich
gegenüberliegenden Szenen trägt er das 𓌃 -Szepter anstatt des ḥw-Wedels.

In den Prinzengräbern des Sethherchepeschef, Paraherwenemef und Chaemwese
wird der Militär- oder Prinzentitel fast ausnahmslos in die prinzliche Beischrift eingefügt, während die Bezeichnung "erster Königssohn" bei Sethherchepeschef nur im 1. Korridor und in den folgenden Grabräumen nicht verwendet wird. Bei Chaemwese ist der Titel nur in einem Fall, im 2. Korridor,
dort zusammen mit "ältester Königssohn" zu lesen. Durch die erhebliche Zerstörung der Beischriften im 1. Korridor des Paraherwenemef ist eine entsprechende klare Einteilung der Titelvarianten nicht nachweisbar. Wie bei
dem Titel "ältester Königssohn" hängt bei Chaemwese die Verwendung des Titels "erster Königssohn" offensichtlich mit dem jenseitigen Leben des Prinzen zusammen und kann kaum als ein realer Titel angesehen werden, den er
zu Lebzeiten getragen hat. Die gleiche Vermutung ist bei Sethherchepeschef
durch die Zuordnung des Titels "erster Königssohn" nur im 1. Korridor seines Grabes berechtigt. Der nachgewiesene gezielte Einsatz der Titel in den
Gräbern dieser zwei Prinzen ist auch im Grab des Paraherwenemef wahrscheinlich, aber wegen der Zerstörungen ist eine Verteilung der Titel nicht mehr
nachzuweisen.

Ob die genannten Prinzen wirklich zu irgendeinem Zeitpunkt ihres Lebens
der erste oder älteste Prinz gewesen sind, ist aus den Beischriften ihrer
Gräber kaum abzulesen. Der Titel "erster Königssohn" wird deshalb in dem
nachfolgenden Titel- und Namensvergleich ebenfalls nicht verwertet.

Ramses

Aus dem Grab QV 53 ist nur ein Fragment der Titel und des Namens des Prinzen erhalten geblieben: ". . . geboren von der großen ⸢königlichen⸣ Gemahlin ⸢Königs⸣sohn, Ramses". [1)]
In der Wettkampfszene in Medinet Habu heißt er:
    Königssohn,
    General.
Der Text zum 1. Prinzen in Karnak (hinter ihm folgt Amunherchepeschef) enthält die Titel:
    königlicher Schreiber,

1) S. Abschnitt I/3

Generalissimus,

Königssohn, sein leiblicher, sein geliebter.

Der Türsturz trägt die Titel:

Erbprinz,

königlicher Schreiber,

Generalissimus,

Bevollmächtigter (?) seiner Majestät,

Königssohn.

Inschrift aus dem Grab Nr. 148:

Erbprinz,

königlicher Schreiber,

Generalissimus,

Königssohn, sein leiblicher, sein geliebter,

(Name in der Kartusche).

Die Beischriften zum 1. Prinzen der Prozession in Medinet Habu lauten:

Wedelträger zur Rechten des Königs,

Erbprinz,

königlicher Schreiber,

General,

Königssohn, sein leiblicher.

Die Namen erscheinen in folgender Schreibung:

im Grab:	Karnak :	Wettkampf-szene MH:
[Hieroglyphen]	[Hieroglyphen]	[Hieroglyphen]
	selig	selig

Türsturz[1] Florenz:	Grab Nr. 148:	Prinzenpro-zession :
[Hieroglyphen]	[Hieroglyphen]	[Hieroglyphen]

Im 12. und 22. Jahr [2] der Regierung von Ramses III. wird der Prinz Ramses noch nicht Erbprinz genannt. Der Text aus dem Grab Nr. 148 stammt aus dem

1) K.A. Kitchen, Ramesside Inscriptions V., S. 373.
2) 12. Jahr: Medinet Habu und Wettkampfszene; 22. Jahr: Karnak.

27. Regierungsjahr Ramses III. [1]. Durch die Zerstörung der Titel im Grab
QV 53 ist eine Datierung nicht möglich.

Amun(her)chepeschef

Im Grab QV 55 ist der Prinz:

Erbprinz,

königlicher Schreiber,

Erster (ḥr tp) Beider Länder,

Aufseher der Pferde der Streitwagenstation (1), (2),

auch mit dem Einschub: des 1. großen Gespanns seiner Majestät,

Königssohn, sein leiblicher, sein geliebter,

geboren [2] von der Gottesgemahlin, der Gottesmutter, der großen königlichen Gemahlin [3],

geboren von der großen königlichen Gemahlin [4].

Im Karnak-Tempel steht Amunherchepeschef hinter dem Prinzen Ramses als

königlicher Schreiber,

Aufseher der Pferde,

Königssohn, sein leiblicher, sein geliebter.

Das Stelenfragment in Deir el Medineh nennt ihn:

Erbprinz,

Königssohn.

Sein Titel im Ptah-Heiligtum, Kapelle G, lautet nur:

Königssohn.

In der Prinzenprozession in Medinet Habu ist ein Prinz dieses Namens mehrfach dargestellt, der 2. und 3. Prinz als Ramses VI. und der 9. Prinz:

Nr. 2: Wedelträger zur Rechten des Königs,

Erbprinz,

königlicher Schreiber (nur rechte Seite),

Königssohn, sein leiblicher, sein geliebter.

Nr. 3: Wedelträger zur Rechten des Königs,

königlicher Schreiber,

Aufseher der Pferde (rechts zusätzl. "Großer des ⌈Königs⌉"),

Königssohn, sein leiblicher (rechts zus. "sein geliebter").

1) K.A. Kitchen, JEA 68 (1982), S. 116 f.
2) Die Zusätze der Titulatur sind im Abschnitt II/2 besprochen worden.
3) Vor Amset.
4) Vor Isis.

Nr. 9: Wedelträger zur Rechten des Königs,

      Königssohn, sein leiblicher (rechts zus. "sein geliebter).

Die Namen erscheinen in folgender Schreibung:

Im Grab :	Karnak :	Stele :	Kapelle G :

Variante[1)]

selig	selig		selig

Prozession MH

Nr. 2:	Nr. 3:	Nr. 9:

links ohne "Ramses"	Imn trägt das ḥpš-Zeichen	selig

In allen Fällen wird der Prinz "Königssohn, sein leiblicher, sein geliebter" genannt; Ausnahme: die Stele von Deir el Medineh, welche wegen des
Fehlens des vollständigen Namens keinen zweifelsfreien Beleg ergibt und
die Inschriften zur Kapelle G. Es ist auch der einzige Titel, der dem
Prinzen Nr. 9 der Prozession gegeben wurde, denn der Titel "Wedelträger
zur Rechten des Königs" ist, entsprechend der im Bild gezeigten Funktion,
jedem der 20 Prinzen der Prozession beigeschrieben. Übereinstimmung besteht für den Titel "Aufseher der Pferde" u.ä. im Grab, Karnak und für den
3. Prinzen in der Prozession. Erbprinz ist er nur im Grab und als 2. Prinz
der Prozession; dieses gilt jedoch auch für den 3. Prinzen, weil der Titel
des 2. und 3 Prinzen für ein Individuum, d.i. Ramses VI. zusammenzufassen
sind. Gleiche Übereinstimmungen bestehen für "königlicher Schreiber", wäh-

1) Nur einmal im Grab, im 2. Korridor vor dem Eingang zur unvollendeten
   Sarkophaghalle.

rend "Erster Beider Länder" nur im Grab, dort jedoch 8 mal nach "Erbprinz" vorkommt.

Zweifel können über die Identität durch die unterschiedliche Namensschreibung des Prinzen im Grab und auf allen anderen Denkmälern bestehen, sowie durch das doppelte Vorkommen des Titels "Erbprinz" bei Ramses und Amunherchepeschef. Sollte der Prinz Amun(her)chepeschef vor dem Prinzen Ramses verstorben sein, gibt es mit dem 2. und 3. Prinzen keine Identität.

Sethherchepeschef

Im Grab QV 43 lauten die Titel [1] des Prinzen:

 Königssohn, sein leiblicher, sein geliebter,

 Wagenlenker des großen Gespanns des Königs (1)| , (2)| . [2]

In der Prinzenprozession von Medinet Habu erscheint Sethherchepeschef als 4. Prinz mit folgenden Titeln:

 Wedelträger zur Rechten des Königs,

 königlicher Schreiber (nur rechts),

 Vorsteher der Pferde (rechts mit wr swtn),

 Königssohn, sein leiblicher.

Die Namensschreibung:

im Grab :	Prozession :	in der Prozession hinzugefügte 2. Kolumne :	
		links :	rechts:

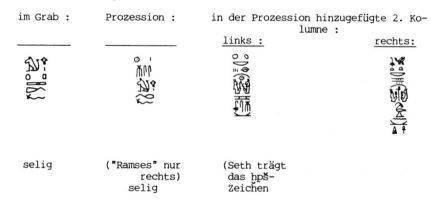

| selig | ("Ramses" nur rechts) selig | (Seth trägt das ḥpš-Zeichen | |

Die Namensschreibung im Grab und der Prozession stimmt überein. Die bereits bei Amunherchepeschef außerhalb des Grabes vorkommende Vorsetzung von "Ramses" vor den Namen ist nicht als eine das Individuum charakterisierende Namenseinheit anzusehen. Bemerkenswert ist der Unterschied in der

1) Weder der Titel "ältester" oder "erster" Sohn ist in seinem Grab ein realer Titel gewesen.

2) Ab 2. Korridor fehlt die Kartusche mit dem Thronnamen im Prinzentitel.

Titulatur, die als Rangerhöhung nach dem Grabbau gedeutet werden könnte.

Chaemwese

Im Grab QV 44 wird der Prinz wie folgt tituliert [1]:

> sm-Priester des Ptah, der südlich seiner Mauer ist,
> Herr des Lebens beider Länder,
> Königssohn, sein leiblicher sein geliebter.

In der Prinzenprozession ist er der 8. Prinz:

> Wedelträger zur Rechten des Königs,
> sm-Priester des Ptah,
> Königssohn, sein leiblicher.

Die Namensschreibung:

im Grab :	in der Prozession links :	rechts:
selig	selig	selig

Die Titel- und Namensschreibung im Grab und in der Prozession stimmen überein.

Paraherwenemef:

In seinem Grab QV 42 sind die Titel des Prinzen:

> Wagenlenker der großen Streitwagenstation des (2), (2),
> Erster Königssohn seiner Majestät [2].

In der Prozession ist er der 5. Prinz:

> Wedelträger zur Rechten des Königs,
> Erster Wagenlenker seiner Majestät,[3]
> Königssohn (zusätzl. rechts: "sein leiblicher").

1) Der Titeleinschub der "älteste" oder "erste" Sohn im Grab ist kein realer Titel gewesen.
2) Die Bezeichnung "erster Königssohn seiner Majestät" bedeutet sicher nicht, daß der Prinz der älteste oder ranghöchste Sohn gewesen ist, vergleiche die Bezeichnung in der Prozession "erster Wagenlenker seiner Majestät".
3) Siehe Fußnote 2.

Die Namensschreibung:

im Grab:	Variante:	in der Prozession:

(hieroglyphic signs) 1)

| selig | selig | selig |

Die Titel- und Namensschreibung stimmen im Grab und in der Prozession überein.

Von dem 6., 7. und 10. Prinzen der Prozession sind keine Gräber bekannt; ein Vergleich ist deshalb nicht möglich. Ihre Titel lauten wie folgt:

Nr. 6: Mentuherchepeschef
  Wedelträger zur Rechten des Königs,
  Erster Wagenlenker seiner Majestät,
  Königssohn (rechts zusätzl.: "sein leiblicher").

Nr. 7: Meriatum
  Wedelträger zur Rechten des Königs,
  Hohepriester des Re-Atum,
  Königssohn, sein leiblicher.

Nr. 10: Meriamun
  Wedelträger zur Rechten des Königs,
  Königssohn, sein leiblicher, sein geliebter.[2]

Auffällig ist die zum Teil stark abweichende Namensschreibung auf der linken und rechten Seite der Prozession:

	Nr. 6		Nr. 7		Nr. 10	
	links	rechts	links	rechts	links	rechts

| selig | selig | selig | selig | selig | selig |

1) Die Schreibung mit (sign) konnte ich nicht auffinden, vielleicht handelt es sich um eine fehlerhafte Abschrift von J.F.Champollion, Not. Descr. I, S. 395.
2) Auf der linken Seite steht nur "geliebter".

3. Die Prinzenprozession in Medinet Habu

Die Prinzenprozession von Medinet Habu wird zumeist mit der gleichen Prozession im Ramesseum verglichen, wie die gesamte Tempelanlage wegen ihrer bis in die Details reichenden Übereinstimmungen als etwas verkleinerte Kopie des Ramesseums angesehen wird. [1] Auch wenn Ramses II. als das große Vorbild für Ramses III. gilt, hat die Ähnlichkeit der Tempelanlagen wohl noch andere Gründe. Der Tempelbau ist eine der wesentlichen kultischen Aufgaben des Königs, die er während seiner Herrschaft durchführen muß. E.Hornung [2] hat auf die Notwendigkeit dieser kultischen Aufgaben und deren Durchführung neuerlich hingewiesen und sie in einigen Beispielen erläutert. So wird die Schöpferrolle des Königs als Triumphator über seine Feinde im Bild des Niederschlagens der Feinde -er packt sie am Schopf und hat die Keule erhoben- bereits auf der Narmerplatte dargestellt und findet sich noch auf den Tempelpylonen aus römischer Zeit. Auch ein Vergleich der Königsgräber von Thutmosis IV. bis Ramses III. zeigt die Kontinuität in Architektur und Dekoration. [3] Eine solche Kontinuität zeigt sich ebenfalls im Tempelbau zwischen Medinet Habu und dem Ramesseum.

Die sogenannte Usurpierung wird in vielen Fällen nicht als "widerrechtliche Aneignung" der Bauten eines königlichen Vorgängers oder als dessen Verfolgung oder Auslöschen zu verstehen sein, sondern es wird sich häufig um die Absicht des Königs handeln,seiner Schöpferrolle dadurch kultisch zu genügen, daß er sich selbst als Schöpfer in die bestehenden Tempel"schriftlich einträgt", ohne zu diesen Zeitpunkt selbst ein solches Bauwerk zu errichten. Der Vergleich der Prinzenprozession in Medinet Habu und im Ramesseum reduziert sich damit für diese Untersuchung auf die durch Merneptah im Letzteren am 13. Prinzen vorgenommene Änderung. [4]

Im Ramesseum wurde von Ramses II. jeder der Prinzen mit seinem Namen und der Bezeichnung "Königssohn, sein leiblicher" versehen und nur die jeweils drei ersten Prinzen jeder Seite wurden zusätzlich mit Titeln ausgestattet. [5] Merneptah fügte zum 13. Prinzen dann später zu seiner prinzlichen Beischrift seine Königsnamen und -titel hinzu.

Weder handelt es sich in Medinet Habu um einen gleichen Vorgang wie im Ra-

1) So u.a. K. Seele, FS Grapow (1955), S. 301 f.
2) E. Hornung,Kolloquien zur allgemeinen und vergleichenden Archäologie, Bd. 3 (1982), S. 13 - 30.
3) F. Abitz, Grabräuberschächte, S. 14 ff. u. S. 51 ff.
4) K. Seele, FS Grapow (1955), S. 302.
5) Die großen Kartuschen des Königs vor den Prinzen in MH gibt es im Ramesseum für Ramses II. nicht.

messeum, noch handelt es sich bei den zusätzlichen Inschriften zu den Prinzen in Medinet Habu um die Durchführung der oben beschriebenen kultischen Aufgabe des neuen Königs, seine Schöpferrolle zu demonstrieren.

Eine solche Erfüllung seiner kultischen Aufgabe scheint Ramses IV. vorgenommen zu haben, indem er unmittelbar unter die Prinzenprozession von Medinet Habu eine lange Inschrift einmeißeln ließ, die neben der Wiedergabe seiner umfänglichen Titel und seiner Königsnamen auf seine "Bautätigkeit" hinweist.

<u>Die Anordnung der Beischriften</u>

Den jeweils links und rechts dargestellten ersten 10 Prinzen wurden Beischriften vorangestellt, die mit "Wedelträger zur Rechten des Königs" beginnen und "Königssohn, sein leiblicher" enthalten. [1]Zusammen mit dem vor die Figuren gesetzten großen Kartuschen Ramses III. werden die 10 Prinzen somit als dessen leibliche Söhne ausgewiesen. Die Namen werden in den Beischriften stets zum Schluß genannt. Für die ersten drei Prinzen werden in Kartuschen gesetzte Namen ohne $m3^c$-ḫrw, für die folgenden sieben Prinzen jeweils der Name (ohne Kartusche) und folgend $m3^c$-ḫrw eingeschrieben.

Die jeweils zwischen "Wedelträger zur Rechten des Königs" und dem Namen angeordneten Titel (ohne Königssohn etc.) sind nach einer abfallenden Folge eingesetzt worden, d.h. an erster Stelle stehen die politisch oder militärisch ranghöchsten Prinzen, es folgen abgestuft, die in dieser Hinsicht Rangniederen: [2]

1. Prinz (Ramses)	Erbprinz, kgl. Schreiber, General.
2. Prinz (Ramses VI.)	Erbprinz, kgl. Schreiber.
3. Prinz (Ramses VI.)	kgl. Schreiber, Oberaufseher d. Pferde.
4. Prinz Sethherchepeschef, (R. VIII.)	kgl. Schreiber, Oberaufseher d. Pferde.
5. Prinz Paraherwenemef	Erster Wagenlenker seiner Majestät.
6. Prinz Mentuherchepeschef	Erster Wagenlenker seiner Majestät.
7. Prinz Meriatum	Hohepriester des Re-Atum.
8. Prinz Chaemwese	sm-Priester des Ptah.
9. Prinz Amunherchepeschef	kein Titel.
10.Prinz Meriamun	kein Titel.

1) Die bei dem 5. und 6. Prinzen an der linken Seite fehlende Bezeichnung "sein leiblicher" steht dann jeweils auf der rechten Seite der Prozession.
2) Die abfallende Rangfolge ist auch bei den mit Titeln versehenen Prinzen im Ramesseum zu beobachten, K. Seele, JNES 19, Anm. 63.

Die Rangfolge weist somit die Prinzen 1 - 3 als Erbprinzen, demnach wohl
die Kronprätendenten aus, die die Könige (Ramses)(und (Ramses VI.)(wurden. Dabei ist (Ramses)(als Höherrangiger in der Rangfolge vorangestellt.

Bemerkungen zu den Beischriften

Das Gegensätzliche zum Ramesseum ist in Medinet Habu nicht der Zusatz Ramses VIII. zum 4. Prinzen, der ähnlich wie Merneptah im Ramesseum seine Kö-
nigstitel und -namen zu den prinzlichen Namen Sethherchepeschef hinzusetz-
te, sondern die Kombination der Prinzentitel mit den Königsnamen zum 1.-3.
Prinzen.

Die Beischriften zu den Prinzen der Prozession sind zweifelsfrei auf Be-
fehl des herrschenden Königs nach dem Tod von Ramses III. eingeschnitten
worden, d.h. daß zugunsten der prinzlichen Titel auf die Königstitulatur
verzichtet worden ist. Es kam demnach darauf an, die beiden Prinzen Ramses und Amunherchepeschef in der Reihe ihrer prinzlichen Brüder und als
leibliche Söhne Ramses III. darzustellen, sie gleichzeitig aber auch als
ranghöchste Prätendenten und spätere legitime Könige auszuweisen. Dem 1.
Prinzen ist auf beiden Seiten der Prozession der, in die königliche Kartusche gesetzte Name "Ramses" beigeschrieben, während dem 2. Prinzen beidseitig der Thronname und dem 3. Prinzen der Geburtsname Ramses VI. hinzugefügt wurde. Insbesondere aus dem Fehlen des Thronnamens zum 1. Prinzen
hat sich die Diskussion, wer dieser König Ramses sei, ergeben.[1] E.Peet [2]
sieht in diesem "Ramses" den Vater von Ramses VI., der niemals König wurde, obgleich Ramses VI. glaubte, er hätte der rechtmäßige König auf dem
Thron Ägyptens sein müssen. Aus diesem Grunde gebe es nur den Geburtsnamen, keinen Thronnamen und hieraus resultiere der Verzicht auf die Königstitulatur. Für eine solche nachträgliche Rechtfertigung eines Vaters "Ramses" durch Ramses VI. gibt es jedoch keinerlei Beleg.

In keinem der untersuchten Prinzengräber ist dem Namen des Prinzen das
Wort "Ramses" vorgesetzt, wie es so häufig in den Quellen außerhalb der
Gräber und insbesondere in der Prinzenprozession vorkommt. Dieses gilt
auch für das Grab des Prinzen Ramses, QV 53, denn das erhaltene Textfragment mit seinem Namen zeigt, daß ein weiteres Namensteil nach "Ramses"

1) Kontroverse Meinungen hierzu u.a. bei: J. Černý, JEA 44, S. 34, Anm. 9;
Ch. Nims, Bibl. Orientalis XIV, S. 137 f; W. Murnane, JARCE 9, S. 123;
J. v. Beckerath, ZÄS 97, S. 8.
2) E. Peet, JEA 14 (1928), S. 55.

nicht folgen konnte. [1] Überdies gibt es in den untersuchten Prinzengräbern trotz der Vielzahl der ständig wiederholten Prinzennamen nicht einen
Fall, in dem die Vorschaltung von "Ramses" vor dem Namen vorkommt.

In der Prinzenprozession ist die Vorschaltung von "Ramses" vor den Namen
des Prinzen, jeweils nach "Königssohn, sein leiblicher, sein geliebter"[2]
wie folgt gegeben:

Nr. 1	fehlt.
Nr. 2 + 3	Nr. 2 rechts Ramses. [3]
Nr. 4	rechts Ramses.
Nr. 5	fehlt.
Nr. 6	fehlt.
Nr. 7	rechts Ramses.
Nr. 8	rechts Ramses.
Nr. 9	links und rechts Ramses
Nr.10	links und rechts Ramses.

Die fehlende Vorschaltung des Wortes "Ramses" ist nicht durch einen Mangel
an Raum innerhalb der vorgegebenen Registerlinien veranlaßt. Ein Vergleich
der Prinzenbeischriften der linken und rechten Wandseite zeigt, daß alle
Zusätze stets auf der rechten Wandseite untergebracht worden sind, so
"Ramses" rechts bei Nr. 2, 4, 7 und 8; oder die auf der linken Seite nicht
vorkommenden Teile "königlicher Schreiber" rechts bei Nr. 2 und 4; ferner
"sein leiblicher" nur rechts bei Nr. 5 und 6. Die Einteilung zeigt, daß
das vorgeschaltete "Ramses" offensichtlich nicht ein Namensbestandteil war,
das unabdingbar mit dem Namen verbunden gewesen ist.

Für die Rangfolge gibt es in den Prinzengräbern einen weiteren Beleg, der
mit der Verwendung des Thron- und Geburtsnamens von Ramses III. innerhalb
der Titel der Prinzen zusammenhängt. Die in Kartuschen geschriebenen Namen
des Königs erscheinen in den prinzlichen Titeln wie folgt: [4]

Amun(her)chepeschef, QV 55: im gesamten Grab erscheint nur der Thronname
innerhalb des Prinzentitels.

Sethherchepeschef, QV 43: im 1. Korridor, Thron- und Geburtsname; im 2.
Korridor und den folgenden Räumen stets nur der Ge-

1) S. d. Ausführungen unter I/3 und die Ausführungen von K.A. Kitchen,
   JEA 68 (1982), S. 117 f.
2) Teilweise fehlt "sein geliebter".
3) Nur in Karnak ist dem Namen Amunherchepeschef noch "Ramses" vorgesetzt.
4) Für die Einfügung der königlichen Kartuschen in die Titel der Prinzen
   s. auch die Grabbeschreibungen unter I/2,4,5 u.1.

burtsname; im umlaufenden Text unterhalb der Decke
der Sarkophaghalle erscheint zweimal die Königskar-
tusche innerhalb eines Prinzentitels jeweils mit dem
Geburtsnamen des Königs.

Paraherwenemef, QV 42 [1]: es erscheint in allen Räumen zweimal der
Geburtsname des Königs innerhalb des Prinzentitels.
Nur in der senkrechten Zeile links zu Beginn der Sar-
kophaghalle wird ohne Darstellung des Prinzen der
Thron- und ⌈Geburtsname (?)⌉ innerhalb des prinzli-
chen Titels gebracht. Dieser Text ist demnach keine
Beischrift zum Prinzen wie üblich.

Chaemwese, QV 44: 1. Korridor und beide Nebenräume: keine Kö-
nigskartusche innerhalb des Prinzentitels. Im 2. Korridor steht stets innerhalb des Titels der Geburtsname
des Königs (in der folgenden Sarkophaghalle erscheint
der Prinz nicht, somit gibt es auch keine Beischrift
zu Chaemwese).

Bei der Vielzahl der in den Prinzengräbern vorkommenden Beischriften zu
den Prinzen und der entsprechend verwendeten Prinzentitel ist ein Zufall
auszuschließen. Wenn davon ausgegangen wird, daß der Thronname, der wich-
tigste Name, der des Königtums ist [2], ergibt sich folgende mit der Prinzenprozession übereinstimmende Rangfolge:

nur Thronname:	Amun(her)chepeschef	2.+3. Prinz in MH,
teilweise Thron- und Geburtsname:	Sethherchepeschef	4. Prinz in MH,
nur Geburtsname:	Paraherwenemef	5. Prinz in MH,
nur teilweise Geburtsname:	Chaemwese	8. Pirnz in MH.

Der Zeitablauf

Es wird angenommen, daß die Dekoration des Tempels von Medinet Habu im 12.
und die des kleinen Tempels von Karnak im 22. Regierungsjahr von Ramses III.
fertiggestellt wurden. Für das Alter und die Regierungszeit der Könige
Ramses III. - VI. wird von den nachfolgenden Daten ausgegangen:

1) Soweit bei den vorliegenden Text- und Bildzerstörungen feststellbar.
2) J. v. Beckerath, MÄS 20, S. 27. Die Unterscheidung von Thron- und Geburtsnamen wegen des Todes des Königs ist wegen der gleichzeitigen Verwendung bei Sethherchepeschef auszuschließen, s. hierzu MÄS 20, S. 2.

	Alter	Regie-rungs-zeit:	Alter beim Tode v. R. III.	Alter bei Fertig-stellung MH	Alter bei Fertig-stellung Karnak
Ramses III.	67	32	67	47	57
Ramses IV.	50	6	44	24	34
Ramses V.	40-45[1]	4	30-35	10-15	20-25
Ramses VI.	45	7	28	8	18

Für Ramses VII. und VIII. liegen keine Altersangaben vor.

Die Einfügung der Beischriften zur Prinzenprozession in Medinet Habu erfolgte demnach frühestens nach etwa 20 Jahren der Tempelfertigstellung, sofern Ramses IV. für die erste Änderung verantwortlich gemacht wird, oder nach 30 Jahren in der Regierungszeit Ramses VI. Für die Arbeiten an den Prinzengräbern werden 2 Belege: der Brief des Wesirs To [2] und das Ostrakon P 10663 [3], aus dem 28. und 29. Regierungsjahr Ramses III. herangezogen. Weiterhin kann die Inschrift Ramses IV. auf dem Sarkophag, der im Grab des Prinzen Chaemwese gefunden worden ist [4], einen zeitlichen Hinweis geben.

4. Die Personen - Identität

In seinem Artikel hat K. A. Kitchen [5] dargelegt, daß Ramses IV. und VI. die Söhne Ramses III. waren. Den Bau aller Prinzengräber im Tal der Königinnen datiert er in die erste Dekade der Regierung des Königs, weil nach seinen Angaben nur für diese Zeit die Schreibung der Königsnamen in der gleichen Form wie in den Prinzengräbern gegeben ist. Nach seiner Auffassung war Prinz Ramses, der spätere Ramses IV.,weder der älteste Sohn Ramses III., noch der erste Thronanwärter. Die drei Söhne Ramses III., Amun-(her)chepeschef (QV 55), Paraherwenemef (QV 42) und Chaemwese (QV 44) hatten ältere Ansprüche, verstarben aber vor dem Prinzen Ramses. Ramses VI.ist demnach der in der Prinzenliste von Medinet Habu aufgeführ-

---

1) Ein höheres Sterbealter wird heute angenommen, s.E.F.Wente, JNES 32 (1973), S. 232, Ramses V. ist der Sohn Ramses IV.
2) E.F. Wente, INES 20 (1961), S. 252-257, dazu K.A. Kitchen, JEA 68 (1982) S. 118, Anm. 18: "... but there is no necessary connection with the four tombs familiar to us in the Queen's Valley".
3) E. Endesfelder, Forschungen und Berichte 8 (1967), S. 65 f.
4) E. Schiaparelli, Relazione I, S. 132. Es ist nicht nachgewiesen, daß Chaemwese in diesem Sarkophag bestattet wurde, noch daß das Grab für eine Einzelperson neu belegt worden ist.
5) K.A. Kitchen, JEA 68 (1982), S. 116-125.

te 9. Prinz Amunherchepeschef [1]. Ramses VIII. nennt er einen jüngeren Sethherchepeschef, einen Bruder Ramses VI. und somit Sohn Ramses III. [2] Offen bleibt, ob Sethherchepeschef (QV 43) überlebte und in der Rangfolge gegenüber dem jüngeren Amunherchepeschef zurückgesetzt wurde, oder ob es einen zweiten, jüngeren Prinzen Sethherchepeschef gegeben hat. [3]

K.A. Kitchen geht mit seinen scharfsinnigen Argumenten u.a. auch davon aus, daß die in den Prinzengräbern vorkommenden Titel "ältester" oder "erster Königssohn" zu Lebzeiten des Prinzen getragen wurden. Die vorgelegte Untersuchung hat dieses nicht bestätigen können, vielmehr ist wahrscheinlich, daß diese Titel für das jenseitige Leben des jeweiligen Prinzen von Bedeutung gewesen sind.

Ferner nimmt er wegen der Schreibung der Königsnamen an, daß die Prinzengräber in den ersten zwölf Jahren der Regierung Ramses III. gebaut worden sind. In den Prinzengräbern variiert die Schreibung des Königsnamens; sie kommt in 4 Formen [4] vor:

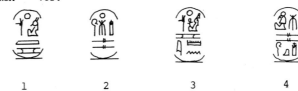

| Form: | 1 | 2 | 3 | 4 |

und wird wie folgt verwendet:

	für den König	im Titel des Prinzen
Ramses:	1 + 2 [5]	unbekannt
Amun(her)chepeschef:	1 + 2	1
Sethherchepeschef, 1.Korridor:	1 + 2	1 + 2
folgend:	3 + 4	2
Paraherwenemef:	1+2,3+4 variie-rend	2 [6]
Chaemwese:	1 + 2	2
KV 3, Grabinhaber unbekannt	3 + 4	unbekannt

1) K.A. Kitchen, JEA 68 (1982), S.121:"Therefore, two Amenherkhopshefs under Ramesses III is no problem at all: one who died early as heir (Tomb 55), and his replacement who was later Ramesses VI".
2) A.a.O., S. 123:"After the death of Ramesses VII, son of Ramesses VI,the latter's next surviving brother, a younger Setherkhopshef,became king as Ramesses VIII, placing his cartouches next to appropriate figures".
3) S.hierzu die abweichende Meinung von J.v.Beckerath,MDAIK 40(1984)S.1-5.
4) Die wenigen Schreibvarianten der Form 3 + 4 sind nicht aufgeführt.
5) Nach R. Lepsius, Denkmäler, Text III, S. 239.
6) Einmal kommt die Form 4 in der Sarkophaghalle vor.

Im Königsgrab Ramses III., KV 11, kommt die in den Prinzengräbern verwendete Schreibung gleichermaßen vor. Nach den mir vorliegenden Fotos für um-
fangreiche Teile der Grabwände sind die 4 Formen wie folgt anzutreffen:

Form 1 + 2:   Nebenraum zum 1. Pfeilersaal (einsch. d. Laibungen),
               Vorraum zur Sarkophaghalle, [1]
               Sarkophaghalle und Nebenräume. [1]
Form 3 + 4:   Beginn des 1. Korridors,
               quergestellter Raum nach dem 2. Korridor (N),
               Schachtraum,
               1. Pfeilersaal.

In den Prinzengräbern wird die unterschiedliche Schreibung der Königsnamen zum Teil nebeneinander verwendet, z.B. QV 43 und 42: Königsname Form
3 + 4, im Prinzentitel Form 2; in QV 42 kommen alle Formen im gleichen
Raum der Sarkophaghalle vor. Wäre die Form 1 + 2 die frühe, später nicht
mehr verwendete Form, wäre es unverständlich, daß diese Form in den sicher
zuletzt dekorierten Teilen der Grabanlage KV 11, im Vorraum zur Sarkophaghalle und in der Sarkophaghalle selbst, vorkommt. Die Schreibung der Königsnamen gibt damit keinen Beleg für die Datierung der Bauausführung der
Prinzengräber. Wie nachweislich ganze Szenen aus dem Königsgrab Ramses III.
für die Prinzengräber übernommen worden sind, scheint entsprechend auch
die Schreibung der Königsnamen in ihren 4 Formen übernommen worden zu sein.

Die Rangfolge der Prinzen Amun(her)chepeschef, Sethherchepeschef, Paraherwenemef und Chaemwese, entsprechend der Verwendung des Thron- und Geburtsnamens des Königs in den Prinzentiteln der Gräber, stimmt mit der Rangfolge entsprechend den Titeln der Prinzenprozession überein. Wenn von dieser
Rangfolge und davon ausgegangen wird, daß die Titel der "älteste" oder
"erste Königssohn" nur dem jenseitigen Leben dienten und nicht zu Lebzeiten getragen wurden, ergeben sich die nachstehenden neuen Überlegungen.

In den Inschriften der Wettkampfszene in Medinet Habu und in Karnak wird
der Prinz Ramses noch nicht Erbprinz genannt. Sicher ist, daß der Name
Ramses und der Uräus an der Stirn des Prinzen zur Wettkampfszene später
und wegen des königlichen Uräus wahrscheinlich erst in seiner eigenen Regierungszeit als Ramses IV. hinzugefügt wurden. Der Name wurde nicht in
eine Kartusche gesetzt und es wurde auch aus den Szenen in Medinet Habu
nicht eine Szene ausgewählt, die den Titel Erbprinz bereits enthielt, wie

1) E. Lefébure, MMAF III, 1, S. 107 u. 110.

es an drei Stellen möglich gewesen wäre. [1] Die Datierung der Inschrift mit den Prinzennamen in Karnak ist umstritten. Der Befund läßt auch zu,die gesamte oder Teile der Inschrift als spätere Ergänzung, dann sicher nach der Regierungszeit Ramses III. anzusehen, obgleich im Vergleich mit der Wettkampfszene das königliche Element, d.i. der Uräus, fehlt. Stammt die Inschrift aus der Zeit der Fertigstellung der Dekoration des Tempels in Karnak, ist die Inschrift in das 22. Regierungsjahr Ramses III. zu datieren. Stammt die gesamte Inschrift oder stammen die Namen aus späterer Zeit, würde, wie in der Wettkampfszene, offensichtlich der Rang verwendet worden sein, den der Prinz zur Zeit des dargestellten Geschehens oder bei der Fertigstellung der Reliefs besessen hat. Bei dieser Annahme fügt sich die Rangerhöhung des Prinzen Ramses vom General zum Generalissimus vom 12. zum 22. Regierungsjahr Ramses III. entsprechend ein. Der Prinz Ramses wurde, wie K.A. Kitchen [2] überzeugend darlegt, später Ramses IV. und ist mit dem Grabinhaber von QV 53 sicher identisch.

Der rangniedere Prinz Amunherchepeschef steht hinter dem ranghöheren Prinzen Ramses im Karnak-Tempel und ist kein Erbprinz, wie auch Ramses nicht Erbprinz genannt wird. In dem Stelenfragment von Deir el Medineh, in der Prinzenprozession und in dem Grab QV 55, dort mit dem Zusatz "Erster Beider Länder" wird er Erbprinz genannt. Wenn davon ausgegangen wird, daß es nicht zwei Erbprinzen zur gleichen Zeit gegeben hat und das Stelenfragment wegen der berechtigten Zweifel, ob es sich um den hier behandelten Amunherchepeschef handelt, unberücksichtigt bleibt, ist der Titel Erbprinz nur für das Grab und die Prinzenprozession gegeben.

Viele Bearbeiter und K. A. Kitchen gehen davon aus, daß der Grabinhaber von QV 55 früh verstorben ist und sein jüngerer Bruder gleichen Namens seine Nachfolge als Erbprinz antrat und nach dem Tode des Sohnes von Ramses IV., d.i. Ramses V., den Thron als Ramses VI. bestieg. Wird von der Prinzenliste in Medinet Habu ausgegangen, deren Rangfolge derjenigen der Prinzengräber entspricht, müßten alle in der Rangfolge vor dem jüngeren Amunherchepeschef stehenden 5 Prinzen verstorben sein. Dieser Auffassung stehen einige ungelöste Fragen gegenüber:
a) Ramses VI. bezeichnet sich als Erbprinz (2. Prinz) in der Prinzenliste. Der jüngere Amunherchepeschef [3] kann unter Ramses III. nicht Erbprinz

1) S. K.C. Seele, FS Grapow, (1955), S. 298; Reliefs vom Krieg gegen die Seevölker, 2. libyscher Krieg, asiatischer Krieg.
2) K.A. Kitchen,JEA 68(1982), S. 116 - 125.
3) Gleiches würde auch für den älteren Amunherchepeschef gelten, wenn er nach seinem Bruder Ramses geboren wurde.

gewesen sein, dieses war sein Bruder Ramses. Er ist wohl kaum Erbprinz
unter Ramses IV. gewesen, dieses wird einem seiner Söhne, wahrscheinlich Ramses V. zugerechnet werden müssen. Es verbleibt als letzte denk-
bare Möglichkeit, daß er unter Ramses V. Erbprinz wurde, sofern dieser
keine Söhne besaß, oder, daß der Titel Erbprinz von ihm für die Prinzenliste eingetragen wurde, ohne daß er den Titel je getragen hat.

b) Die Prinzenliste erinnert an die Söhne Ramses III. Die dort vorgefundene Rangfolge und viele Einzelheiten der Titel entsprechen denen der
bearbeiteten Prinzengräber. Ramses IV. und Ramses VI. wurden als Könige
an die Spitze der Liste gestellt. In diesem Fall ist die Folge des älteren (Nr.2 u. 3) und des jüngeren (Nr. 9) Amunherchepeschef eingehalten
worden, jedoch hat sich Ramses VI. an die Stelle des älteren Amunherchepeschef gesetzt und sich selbst, als Prinz Nr. 9, ohne Titel und un-
beachtet gelassen.

c) Auch die jüngeren Söhne, Meriatum (Nr. 7) und Chaemwese (Nr. 8) müssen
früh, d.h. vor dem älteren Amunherchepeschef verstorben sein. Für Nr. 7
wendet K.A. Kitchen [1]ein:"But Prince Meryatum was serving (like his
Nineteenth Dynasty namesake) as high priest of Rē^C in Heliopolis in
Year 4 of Ramesses V; he at least cannot possibly be an appointee of
the future Pharaoh Ramesses VI at that point in time". Und: "Again, it
is very strange that Meryatum (if the son of Ramesses VI) can serve as
High Priest at Heliopolis under Ramesses V, or immediately succeed an
identical son of Ramesses III in this office. It is simpler by far to
take Meryatum as one man, son of Ramesses III, still in office under
Ramesses V,...", dieses würde bedeuten, daß Meriatum überlebte, aber
in der Thronfolge unberücksichtigt blieb. Im Grab des Chaemwese wurde
ein für ihn passender Sarkophag (ohne seine Titel und den Namen) mit
einer Zueignungsinschrift Ramses IV. gefunden; ferner ist sein Grab
vollendet und danach wurde eine nicht ausgeführte Planänderung begonnen, die zwei neue Räume vorsah. [2] Beides deutet nicht auf einen frü-
hen Tod dieses Prinzen, der ebenfalls einen Priestertitel trug, hin.

Nur wenn der Auffassung von J.v. Beckerath [3] für den älteren Amunherchepeschef gefolgt wird, lösen sich zumindest die oben genannten Probleme zu
c und b: "Der Titel rp^{C}t ḥrj-tp-t3wj, den er in seinem Grab (QV 55,..)
trägt, impliziert allerdings nicht unbedingt, daß er einmal Thronfolger

1) K.A. Kitchen, JEA 68 (1982), S. 123 f.
2) S. Grabbeschreibung I, 1, 2. Korridor.
3) J.v. Beckerath, MDAIK 40 (1984), S. 2, Anm. 10.

war, sondern lediglich eine gelegentliche Königsstellvertretung".

In diesem Fall könnte der Prinz Ramses der erste und der ältere Amun(her)-
chepeschef der zweite Sohn gewesen sein und der 9. Prinz gleichen Namens
wäre vielleicht früh, möglicherweise gleich nach der Geburt verstorben.

Der Befund der Gräber [1] gibt weder einen tragfähigen Anhalt, daß die
Prinzen Amun(her)chepeschef, Sethhherchepeschef, Paraherwenemef und Chaemwese vor dem Prinzen Ramses, als dieser Erbprinz wurde, verstorben sind,
noch einen Beweis, daß sie überlebten. Viele Einzelheiten, wie die Titel
und die in den Gräbern QV 55, 43, 42 und 44 durch die Königskartuschen
festgestellte Rangfolge, decken sich mit denen der Prinzenprozession von
Medinet Habu. Es kann sich aus den vorgenannten Gründen in Medinet Habu
nur um die Söhne Ramses III. handeln, da auszuschließen ist, daß sich eine
solche Zahl von Übereinstimmungen in zwei Generationen, d.i. für die Enkel
Ramses III., wiederholt.

Manipulationen der Prinzenliste in Medinet Habu sind nicht auszuschließen,
konnten aber nicht nachgewiesen werden. Es ist jedoch für diese Zeit eine
Änderung der religionspolitischen Auffassungen anzunehmen, denn kein König,
der Ramses III. folgte, hat in seinem Grab die bisherige Einheit von Raum-
und Bildprogramm in der seit Sethos I. entwickelten Form wieder verwirklicht. [2]

---

1) Bis auf die erwähnten Gründe bei Chaemwese.
2) F. Abitz, Grabräuberschächte, S. 111.

V. A N H A N G

1. Verzeichnis der Abbildungen

2. Quellenverzeichnis

Friedrich Abitz: Die religiöse Bedeutung der sogenannten Grabräuberschächte in den ägyptischen Königsgräbern der 18. - 20. Dynastie, Ägyptologische Abhandlungen, Band 26, Wiesbaden, 1974.

Friedrich Abitz: Statuetten in Schreinen als Grabbeigaben in den ägyptischen Königsgräbern der 18. und 19. Dynastie, Ägyptologische Abhandlungen, Band 35, Wiesbaden, 1979.

Friedrich Abitz: König und Gott. Die Götterszenen in den ägyptischen Königsgräbern von Thutmosis IV. bis Ramses III., Ägyptologische Abhandlungen, Band 40, Wiesbaden 1984.

F. Ballerini: Notizia Sommaria degli scavi della Missione Archeologica Italiana in Egitto, Anno 1903, Turin.

Jürgen von Beckerath: Ein Denkmal zur Genealogie der XX. Dynastie, Zeitschrift für ägyptische Sprache und Altertumskunde, 97. Band, Berlin, 1971.

J. v. Beckerath: Bemerkungen zum Problem der Thronfolge in der Mitte der XX. Dynastie, Mitteilungen des Deutschen Archäologischen Instituts, Abteilung Kairo, Bd. 40, 1984.

J. v. Beckerath: Handbuch der ägyptischen Königsnamen, Münchner Ägyptologische Studien, Heft 20, 1984.

G. Bénédite: Le Tombeau de la reine Titi, Mémoires publiés par les membres de la Mission archéologique française au Caire, V.

E. Brunner-Traut: Atum als Bogenschütze, Mitteilungen des Deutschen Archäologischen Instituts,Abteilung Kairo, Band 14, Wiesbaden, 1956.

B. Bruyère. Rapport sur les fouilles de Deir el Médineh, Fouilles de l'Institut français d'archéologie orientale du Caire, 1929.

B. Bruyère: Neb-nerou et Hery-Mâat, Chronique d'Égypte XXVII, (1952).

B. Bruyère: Mert Seger à Deir el Mèdineh, Memoires publiés par les membres de l'Institut français d'archéologie orientale du Caire, 58, 1930.

Collin Campbell: Two Theban Princes, Khaem-Uast and Amenkhepeshf, sons of Ramses III. Menna, a Land-Steward, and their tombs, Edinburgh, 1910.

Sylvie Cauville: La Théologie d'Osiris à Edfou, Institut Français d'Archeologie Orientale du Caire, Bibliotheque d'Étude, Tome XCI, 1983.

Jaroslav Černý: Queen Ēse of the twentieth Dynasty and her Mother, The Journal of Egyptian Archeology, Volume 44, Oxford, 1958.

Jean-François Champollion: Monuments de l'Egypte et de la Nubie, Notices Descriptives, Vol. I, Paris 1835 - 72, Reprint Genf 1973/74.

Erika Endesfelder: Drei neuägyptische hieratische Ostraka, Forschungen und Berichte 8, Ost-Berlin, 1967.

The Epigraphic Survey, Earlier Historical Records of Ramses III, The University of Chicago, Oriental Institute Publications, Volume VIII, Chicago, 1930.

The Epigraphic Survey, Ramses III 's Temple within the great Inclosure of Amon, Part I, The University of Chicago, Oriental Institute Publications, Volume XXV, Chicago, 1936.

The Epigraphic Survey, The Temple Proper, Part I, The University of Chicago, Oriental Institute Publications, Volume LXXXIII, Chicago, 1957.

G. A. Gaballa und K.A. Kitchen: Ramesside Varia IV. The Prophet Amenemope, his Tomb and Family, Mitteilungen des Deutschen Archäologischen Instituts, Abteilung Kairo, Band 37, 1981.

Jehon Grist: The identity of the ramesside Queen Tyti, The Journal of Egyptian Archeology, Volume 71, Oxford, 1985.

F. Hassanein et M. Nelson: La Tombe d'Amon-(her)khepchef, Centre d'Etude et Documentation sur l'ancienne Egypte, Collection Scientifique: Vallée des Reines, Le Caire, 1976.

Erik Hornung: Das Grab des Haremhab im Tal der Könige, Bern 1971.

Erik Hornung: Ägyptische Unterweltsbücher, Die Bibliothek der Alten Welt, Zürich, 1972.

Erik Hornung: Das Buch der Anbetung des Re im Westen (Sonnenlitanei), Teil II, Aegyptiaca Helvetica, 3/1976.

Erik Hornung: Das Totenbuch der Ägypter, Die Bibliothek der Alten Welt, Zürich, 1979.

Erik Hornung: Zum altägyptologischen Geschichtsbewußtsein, Kolloquien zur Allgemeinen und Vergleichenden Archäologie, Band 3, München 1982.

H. C. Jelgersma: A grammatical peculiarity in the tombinscriptions of the sons of Ramses III in the Valley of the Queens in Thebes, Jaarbericht ex Oriente Lux 21, 1970.

K. A. Kitchen: Ramesses VII an die twentieth Dynasty, The Journal of Egyptian Archeology, Volume 58, Oxford, 1972.

K. A. Kitchen: The twentieth Dynasty revisited, The Journal of Egyptian Archeology, Volume 68, Oxford, 1982.

K. A. Kitchen: Ramesside Inscriptions, Historical and Biographical, Volume V, Oxford, 1983.

J. Leclant: Les Génies-gardiens de Montouemhat, Drevnij Mir, Festschrift V. V. Struve, Moskau, 1962.

Eugen Lefébure: Les Hypogées Royaus de Thèbes, Memoires de la Mission française au Caire, III, 1890.

Richard Lepsius: Denkmäler aus Aegypten und Aethiopien, Text III, Leipzig, 1913.

Janine Monnet: Remarques sur la famille et les successeurs de Ramsès III, Bulletin de l'Institut français d'archéologie orientale du Caire, Tome 63, 1965.

Maria Münster: Untersuchungen zur Göttin Isis vom Alten Reich bis zum Ende des Neuen Reiches, Münchner Ägyptologische Studien, Nr. 11, Berlin, 1968.

William J. Murnane, Jr.: The "King Ramesses" of the Medinet Habu Procession of Princes, Journal of the American Research Center in Egypt, Vol. 9, 1971 - 72.

Charles F. Nims: Boekbesprekingen - Egyptologie, Bibliotheca Orientalis, XIV, N° 3/4, 1957.

T. Eric Peet: The chronological problems of the twentieth Dynasty, The Journal of Egyptian Archeology, Volume 14, Oxford, 1928.

Bertha Porter and Rosalind L.B. Moss: Topographical Bibliography of ancient egyptian hieroglyphics texts, reliefs and paintings, I. The Theban Necropolis, Part 1, Private Tombs, Part 2, Royal Tombs and smaller Cemeteries, Oxford, 1970/73.

George Reisner: The Dated Canopic Jars of the Gizeh Museum, Zeitschrift für Aegyptische Sprache und Altertumskunde, 37. Band, Leipzig, 1899.

Keith C. Seele: Some Remarks on the Family of Ramesses III, Ägyptologische Studien, H. Grapow zum 70. Geburtstag gewidmet, 1955.

Keith C. Seele: Ramesses VI and the Medinet Habu Procession of the princes, Journal of Near Eastern Studies, Vol. 19, 1960.

E. Schiaparelli: Relazione sui lavori della Missione Archeologica Italiana in Egitto (anni 1903 - 1920), vol. primo: Esplorazione della "Valle delle Regine" nella Necropoli di Tebe, Torino, 1924.

Gertrud Thausing (Einleitung) und Hans Goedicke /Kommentar): NOFRETARI, Eine Dokumentation der Wandgemälde ihres Grabes, Graz, 1971.

Elizabeth Thomas: Ramesses III: notes and queries, Brief Communications, The Journal of Egyptian Archeology, Vol. 45, Oxford, 1959.

Elizabeth Thomas: The Royal Necropoleis of Thebes, Princeton, 1966.

Edward F. Wente: A letter of complaint to the Vizier To, Journal of Eastern Studies, Vol. 20, 1961.

Edward F. Wente: A Prince's tomb in the Valley of the Kings, Journal of Near Eastern Studies, Vol. 32, 1973.

Jean Yoyotte: The tomb of a prince Ramesses in the valley of the Queens (No. 53), The Journal of Egyptian Archeology, Vol. 44, Oxford, 1958.

ORBIS BIBLICUS ET ORIENTALIS

Bd. 17   FRANZ SCHNIDER: *Die verlorenen Söhne*. Strukturanalytische und historisch-kritische Untersuchungen zu Lk 15. 105 Seiten. 1977.

Bd. 18   HEINRICH VALENTIN: *Aaron*. Eine Studie zur vor-priesterschriftlichen Aaron-Überlieferung. VIII–441 Seiten. 1978.

Bd. 19   MASSÉO CALOZ: *Etude sur la LXX origénienne du Psautier*. Les relations entre les leçons des Psaumes du Manuscrit Coislin 44, les Fragments des Hexaples et le texte du Psautier Gallican. 480 pages. 1978.

Bd. 20   RAPHAEL GIVEON: *The Impact of Egypt on Canaan*. Iconographical and Related Studies. 156 Seiten, 73 Abbildungen. 1978.

Bd. 21   DOMINIQUE BARTHÉLEMY: *Etudes d'histoire du texte de l'Ancien Testament*. XXV–419 pages. 1978.

Bd. 22/1   CESLAS SPICQ: *Notes de Lexicographie néo-testamentaire*. Tome I: p. 1–524. 1978. Epuisé.

Bd. 22/2   CESLAS SPICQ: *Notes de Lexicographie néo-testamentaire*. Tome II: p. 525–980. 1978. Epuisé.

Bd. 22/3   CESLAS SPICQ: *Notes de Lexicographie néo-testamentaire*. Supplément. 698 pages. 1982.

Bd. 23   BRIAN M. NOLAN: *The royal Son of God*. The Christology of Matthew 1–2 in the Setting of the Gospel. 282 Seiten. 1979.

Bd. 24   KLAUS KIESOW: *Exodustexte im Jesajabuch*. Literarkritische und motivgeschichtliche Analysen. 221 Seiten. 1979.

Bd. 25/1   MICHAEL LATTKE: *Die Oden Salomos in ihrer Bedeutung für Neues Testament und Gnosis*. Band I. Ausführliche Handschriftenbeschreibung. Edition mit deutscher Parallel-Übersetzung. Hermeneutischer Anhang zur gnostischen Interpretation der Oden Salomos in der Pistis Sophia. XI–237 Seiten. 1979.

Bd. 25/1a   MICHAEL LATTKE: *Die Oden Salomos in ihrer Bedeutung für Neues Testament und Gnosis*. Band Ia. Der syrische Text der Edition in Estrangela Faksimile des griechischen Papyrus Bodmer XI. 68 Seiten. 1980.

Bd. 25/2   MICHAEL LATTKE: *Die Oden Salomos in ihrer Bedeutung für Neues Testament und Gnosis*. Band II. Vollständige Wortkonkordanz zur handschriftlichen, griechischen, koptischen, lateinischen und syrischen Überlieferung der Oden Salomos. Mit einem Faksimile des Kodex N. XVI–201 Seiten. 1979.

Bd. 25/3   MICHAEL LATTKE: *Die Oden Salomos in ihrer Bedeutung für Neues Testament und Gnosis*. Band III. XXXIV–478 Seiten. 1986.

Bd. 26   MAX KÜCHLER: *Frühjüdische Weisheitstraditionen*. Zum Fortgang weisheitlichen Denkens im Bereich des frühjüdischen Jahweglaubens. 703 Seiten. 1979.

Bd. 27   JOSEF M. OESCH: *Petucha und Setuma*. Untersuchungen zu einer überlieferten Gliederung im hebräischen Text des Alten Testaments. XX–392–37* Seiten. 1979.

Bd. 28   ERIK HORNUNG / OTHMAR KEEL (Herausgeber): *Studien zu altägyptischen Lebenslehren*. 394 Seiten. 1979.

Bd. 29   HERMANN ALEXANDER SCHLÖGL: *Der Gott Tatenen*. Nach Texten und Bildern des Neuen Reiches. 216 Seiten, 14 Abbildungen. 1980.

Bd. 30   JOHANN JAKOB STAMM: *Beiträge zur Hebräischen und Altorientalischen Namenkunde.* XVI–264 Seiten. 1980.

Bd. 31   HELMUT UTZSCHNEIDER: *Hosea – Prophet vor dem Ende.* Zum Verhältnis von Geschichte und Institution in der alttestamentlichen Prophetie. 260 Seiten. 1980.

Bd. 32   PETER WEIMAR: *Die Berufung des Mose.* Literaturwissenschaftliche Analyse von Exodus 2, 23–5, 5. 402 Seiten. 1980.

Bd. 33   OTHMAR KEEL: *Das Böcklein in der Milch seiner Mutter und Verwandtes.* Im Lichte eines altorientalischen Bildmotivs. 163 Seiten, 141 Abbildungen. 1980.

Bd. 34   PIERRE AUFFRET: *Hymnes d'Egypte et d'Israël.* Etudes de structures littéraires. 316 pages, 1 illustration. 1981.

Bd. 35   ARIE VAN DER KOOIJ: *Die alten Textzeugen des Jesajabuches.* Ein Beitrag zur Textgeschichte des Alten Testaments. 388 Seiten. 1981.

Bd. 36   CARMEL McCARTHY: *The Tiqqune Sopherim and Other Theological Corrections in the Masoretic Text of the Old Testament.* 280 Seiten. 1981.

Bd. 37   BARBARA L. BEGELSBACHER-FISCHER: *Untersuchungen zur Götterwelt des Alten Reiches im Spiegel der Privatgräber der IV. und V. Dynastie.* 336 Seiten. 1981.

Bd. 38   MÉLANGES DOMINIQUE BARTHÉLEMY. Etudes bibliques offertes à l'occasion de son 60e anniversaire. Edités par Pierre Casetti, Othmar Keel et Adrian Schenker. 724 pages, 31 illustrations. 1981.

Bd. 39   ANDRÉ LEMAIRE: *Les écoles et la formation de la Bible dans l'ancien Israël.* 142 pages, 14 illustrations. 1981.

Bd. 40   JOSEPH HENNINGER: *Arabica Sacra.* Aufsätze zur Religionsgeschichte Arabiens und seiner Randgebiete. Contributions à l'histoire religieuse de l'Arabie et de ses régions limitrophes. 347 Seiten. 1981.

Bd. 41   DANIEL VON ALLMEN: *La famille de Dieu.* La symbolique familiale dans le paulinisme. LXVII–330 pages, 27 planches. 1981.

Bd. 42   ADRIAN SCHENKER: *Der Mächtige im Schmelzofen des Mitleids.* Eine Interpretation von 2 Sam 24. 92 Seiten. 1982.

Bd. 43   PAUL DESELAERS: *Das Buch Tobit.* Studien zu seiner Entstehung, Komposition und Theologie. 532 Seiten + Übersetzung 16 Seiten. 1982.

Bd. 44   PIERRE CASETTI: *Gibt es ein Leben vor dem Tod?* Eine Auslegung von Psalm 49. 315 Seiten. 1982.

Bd. 45   FRANK-LOTHAR HOSSFELD: *Der Dekalog.* Seine späten Fassungen, die originale Komposition und seine Vorstufen. 308 Seiten. 1982.

Bd. 46   ERIK HORNUNG: *Der ägyptische Mythos von der Himmelskuh.* Eine Ätiologie des Unvollkommenen. Unter Mitarbeit von Andreas Brodbeck, Hermann Schlögl und Elisabeth Staehelin und mit einem Beitrag von Gerhard Fecht. XII–129 Seiten, 10 Abbildungen. 1982.

Bd. 47   PIERRE CHERIX: *Le Concept de Notre Grande Puissance (CG VI, 4).* Texte, remarques philologiques, traduction et notes. XIV–95 pages. 1982.

Bd. 48   JAN ASSMANN/WALTER BURKERT/FRITZ STOLZ: *Funktionen und Leistungen des Mythos.* Drei altorientalische Beispiele. 118 Seiten, 17 Abbildungen. 1982.

Bd. 49   PIERRE AUFFRET: *La sagesse a bâti sa maison.* Etudes de structures littéraires dans l'Ancien Testament et spécialement dans les psaumes. 580 pages. 1982.

Bd. 50/1 DOMINIQUE BARTHÉLEMY: *Critique textuelle de l'Ancien Testament.* 1. Josué, Juges, Ruth, Samuel, Rois, Chroniques, Esdras, Néhémie, Esther. Rapport final du Comité pour l'analyse textuelle de l'Ancien Testament hébreu institué par l'Alliance Biblique Universelle, établi en coopération avec Alexander R. Hulst †, Norbert Lohfink, William D. McHardy, H. Peter Rüger, coéditeur, James A. Sanders, coéditeur. 812 pages. 1982.

Bd. 50/2 DOMINIQUE BARTHÉLEMY: *Critique textuelle de l'Ancien Testament.* 2. Isaïe, Jérémie, Lamentations. Rapport final du Comité pour l'analyse textuelle de l'Ancien Testament hébreu institué par l'Alliance Biblique Universelle, établi en coopération avec Alexander R. Hulst †, Norbert Lohfink, William D. McHardy, H. Peter Rüger, coéditeur, James A. Sanders, coéditeur. 1112 pages. 1986.

Bd. 51   JAN ASSMANN: *Re und Amun.* Die Krise des polytheistischen Weltbilds im Ägypten der 18.–20. Dynastie. XII–309 Seiten. 1983.

Bd. 52   MIRIAM LICHTHEIM: *Late Egyptian Wisdom Literature in the International Context.* A Study of Demotic Instructions. X–240 Seiten. 1983.

Bd. 53   URS WINTER: *Frau und Göttin.* Exegetische und ikonographische Studien zum weiblichen Gottesbild im Alten Israel und in dessen Umwelt. XVIII–928 Seiten, 520 Abbildungen. 1983.

Bd. 54   PAUL MAIBERGER: *Topographische und historische Untersuchungen zum Sinaiproblem.* Worauf beruht die Identifizierung des Ǧabal Mūsā mit dem Sinai? 189 Seiten, 13 Tafeln. 1984.

Bd. 55   PETER FREI/KLAUS KOCH: *Reichsidee und Reichsorganisation im Perserreich.* 119 Seiten, 17 Abbildungen. 1984

Bd. 56   HANS-PETER MÜLLER: *Vergleich und Metapher im Hohenlied.* 59 Seiten. 1984.

Bd. 57   STEPHEN PISANO: *Additions or Omissions in the Books of Samuel.* The Significant Pluses and Minuses in the Massoretic, LXX and Qumran Texts. XIV–295 Seiten. 1984.

Bd. 58   ODO CAMPONOVO: *Königtum, Königsherrschaft und Reich Gottes in den Frühjüdischen Schriften.* XVI–492 Seiten. 1984.

Bd. 59   JAMES KARL HOFFMEIER: *Sacred in the Vocabulary of Ancient Egypt.* The Term DSR, with Special Reference to Dynasties I–XX. XXIV–281 Seiten, 24 Figuren. 1985.

Bd. 60   CHRISTIAN HERRMANN: *Formen für ägyptische Fayencen.* Katalog der Sammlung des Biblischen Instituts der Universität Freiburg Schweiz und einer Privatsammlung. XXVIII-199 Seiten. 1985.

Bd. 61   HELMUT ENGEL: *Die Susanna-Erzählung.* Einleitung, Übersetzung und Kommentar zum Septuaginta-Text und zur Theodition-Bearbeitung. 205 Seiten + Anhang 11 Seiten. 1985.

Bd. 62 ERNST KUTSCH: *Die chronologischen Daten des Ezechielbuches.* 82 Seiten. 1985.

Bd. 63 MANFRED HUTTER: *Altorientalische Vorstellungen von der Unterwelt.* Literar- und religionsgeschichtliche Überlegungen zu «Nergal und Ereškigal». VIII–187 Seiten. 1985.

Bd. 64 HELGA WEIPPERT/KLAUS SEYBOLD/MANFRED WEIPPERT: *Beiträge zur prophetischen Bildsprache in Israel und Assyrien.* IX–93 Seiten. 1985.

Bd. 65 ABDEL-AZIZ FAHMY SADEK: *Contribution à l'étude de l'Amdouat.* Les variantes tardives du Livre de l'Amdouat dans les papyrus du Musée du Caire. XVI–400 pages, 175 illustrations. 1985.

Bd. 66 HANS-PETER STÄHLI: *Solare Elemente im Jahweglauben des Alten Testamentes.* X–60 Seiten. 1985.

Bd. 67 OTHMAR KEEL/SILVIA SCHROER: *Studien zu den Stempelsiegeln aus Palästina/Israel.* Band I. 115 Seiten, 103 Abbildungen. 1985.

Bd. 68 WALTER BEYERLIN: *Weisheitliche Vergewisserung mit Bezug auf den Zionskult.* Studien zum 125. Psalm. 96 Seiten. 1985.

Bd. 69 RAPHAEL VENTURA: *Living in a City of the Dead.* A Selection of Topographical and Administrative Terms in the Documents of the Theban Necropolis. XII–232 Seiten. 1986.

Bd. 70 CLEMENS LOCHER: *Die Ehre einer Frau in Israel.* Exegetische und rechtsvergleichende Studien zu Dtn 22, 13–21. XVIII–464 Seiten. 1986.

Bd. 71 HANS-PETER MATHYS: *Liebe deinen Nächsten wie dich selbst.* Untersuchungen zum alttestamentlichen Gebot der Nächstenliebe (Lev 19, 18). XIV–196 Seiten. 1986.

Bd. 72 FRIEDRICH ABITZ: *Ramses III. in den Gräbern seiner Söhne.* 156 Seiten. 1986.